Un Pélerin d'Angkor

Pierre Loti

Alpha Editions

This edition published in 2024

ISBN : 9789361472060

Design and Setting By
Alpha Editions
www.alphaedis.com
Email - info@alphaedis.com

Contents

I ...- 1 -
II ...- 3 -
III ...- 5 -
IV ...- 7 -
V ...- 8 -
VI ...- 11 -
VII ...- 14 -
VIII ...- 26 -
IX ...- 38 -
X ...- 44 -
XI ...- 46 -
XII ...- 50 -
XIII ...- 55 -

I

Je ne sais pas si beaucoup d'hommes ont comme moi depuis l'enfance pressenti toute leur vie. Rien ne m'est arrivé que je n'aie obscurément prévu dès mes premières années.

Les ruines d'Angkor, je me souviens si bien de certain soir d'avril, un peu voilé, où en vision elles m'apparurent! Cela se passait dans mon «musée» d'enfant, très petite pièce, en haut de ma maison familiale, où j'avais réuni beaucoup de coquillages, d'oiseaux des îles, d'armes et de parures océaniennes, tout ce qui pouvait me parler des pays lointains. Or il était décidé tout à fait à cette époque, par mes parents, que je resterais près d'eux, que jamais je n'irais courir le monde, comme mon frère aîné qui venait de mourir là-bas en Extrême-Asie.

Ce soir-là donc, écolier toujours inattentif, j'étais allé m'enfermer au milieu de ces choses troublantes, pour flâner plutôt que de finir mes devoirs, et je feuilletais des papiers jaunis, revenus de l'Indo-Chine dans les bagages de mon frère mort. Des carnets de notes. Deux ou trois livres chinois. Ensuite un numéro de je ne sais quelle revue coloniale où était contée la découverte de ruines colossales perdues au fond des forêts du Siam; il y avait une image devant laquelle je m'arrêtai saisi de frisson: de grandes tours étranges que des ramures exotiques enlaçaient de toutes parts, les temples de la mystérieuse Angkor! Pas un instant d'ailleurs je ne doutai que je les connaîtrais, envers et contre tous, malgré les impossibilités, malgré les défenses.

Pour y songer mieux, j'allai m'accouder à la fenêtre de mon «musée», celle de toute la maison d'où l'on voyait le plus loin; il y avait d'abord les vieux toits du tranquille voisinage, puis les arbres centenaires des remparts, au delà enfin la rivière par où les navires s'en vont à l'Océan.

Et j'eus cette fois la prescience très nette d'une vie de voyages et d'aventures, avec des heures magnifiques, presque un peu fabuleuses comme pour quelque prince oriental, et aussi des heures misérables infiniment. Dans cet avenir de mystère, très agrandi par mon imagination enfantine, je me voyais devenant une sorte de héros de légende, idole aux pieds d'argile, fascinant des âmes par milliers, adoré des uns, mais suspecté et honni des autres. Pour que mon personnage fût plus romanesque, il fallait qu'il y eût une ombre à la renommée telle que je la souhaitais... Cette ombre, que serait-ce bien?... Quoi de chimérique et d'effarant?... Pirate peut-être... Oui, il ne m'eût pas trop déplu d'être soupçonné de piraterie, tout là-bas, sur des mers à peine connues...

Ensuite m'apparut mon propre déclin, mon retour au foyer, bien plus tard, le cœur lassé et les cheveux blanchissants. Ma maison familiale serait restée pareille, pieusement conservée,--mais çà et là, percées dans les murs, des portes clandestines conduiraient à un palais de Mille et une Nuits, plein des pierreries de Golconde, de tout mon butin fantastique. Et, comme la Bible était en ce temps-là mon livre quotidien, j'entendais murmurer dans ma tête des versets d'*Ecclésiaste* sur la vanité des choses. Rassasié des spectacles de ce monde, tout en rentrant, vieilli, dans ce même petit musée de mon enfance, je disais en moi-même: «J'ai tout éprouvé, je suis allé partout, j'ai tout vu, etc...»--Et, parmi tant de phrases déjà tristement chantantes qui vinrent alors me bercer à cette fenêtre, l'une, je ne sais pourquoi, devait rester gravée dans mon souvenir, celle-ci: «Au fond des forêts du Siam, j'ai vu l'étoile du soir se lever sur les grandes ruines d'Angkor...»

Un coup de sifflet, à la fois impérieux et doux, me fit soudain redevenir le petit enfant soumis qu'en réalité je n'avais pas cessé d'être. Il partait d'en bas, de la cour aux vieux murs enguirlandés de plantes. Je l'aurais reconnu entre mille: c'était l'appel coutumier de mon père, chaque fois que j'étais légèrement en faute. Et je répondis: «Je suis là-haut dans mon musée. Que veux tu, bon père? Que je descende?»

Il avait dû entrer dans mon bureau et jeter les yeux sur mes devoirs inachevés.

--Oui, descends vite, mon petit, finir ta version grecque, si tu veux être libre après dîner pour aller au cirque.

(J'adorais le cirque; mais je peinais cette année-là sous la férule d'un professeur exécré que nous appelions le Grand-Singe-Noir, et mes devoirs trop longs n'étaient jamais finis.)

Donc, je descendis m'atteler à cette version. La cour, nullement triste pourtant, entre ses vieux petits murs garnis de rosiers et de jasmins, me sembla trop étroite, trop enclose, et je jugeai trop nébuleux, un peu sinistre même, le crépuscule d'avril qui y tombait à cette heure: j'avais en tête le ciel bleu, l'espace, les mers,--et les forêts du Siam où s'élèvent, parmi des banians, les tours de la prodigieuse Angkor.

II

Samedi, 23 novembre 1901.

Environ trente-cinq ans plus tard.

Une pluie chaude, pesante, torrentielle, se déverse de nuages plombés, inonde les arbres et les rues d'une ville coloniale qui sent le musc et l'opium. Des Annamites, des Chinois demi-nus circulent empressés, à côté de soldats de chez nous qui ont la figure pâlie sous le casque de liège. Une mauvaise chaleur mouillée oppresse les poitrines; l'air semble la vapeur de quelque chaudière où seraient mêlés des parfums et des pourritures.

Et c'est Saïgon,--une ville que je ne devais jamais voir, et dont le nom seul jadis me paraissait lugubre, parce que mon frère (mon aîné de quinze ans) était allé, comme tant d'autres de sa génération, y prendre les germes de la mort.

Aujourd'hui, il m'est depuis longtemps familier, ce Saïgon d'exil et de langueur; je crois même que je ne le déteste plus. Quand j'y étais venu pour la première fois--déjà un peu sur le tard de ma vie--combien j'avais trouvé son accueil tristement étrange et hostile! Mais je me suis fait à son ciel plombé, à l'exubérance de ses malsaines verdures, à la bizarrerie chinoise de ses fleurs, à son isolement au milieu de plaines d'herbages semées de tombeaux, aux petits yeux de chat de ses femmes jaunes, à tout ce qui est sa grâce morbide et perverse. D'ailleurs, je m'y sens déjà des souvenirs, comme un semblant de passé; j'y ai presque aimé, j'y ai beaucoup souffert. Et dans son cimetière immense, envahi d'herbes folles, j'ai conduit plusieurs de mes camarades de campagne.

A mes précédents séjours, nous étions sur un perpétuel qui-vive, pendant des expéditions de guerre, en Annam, au Tonkin ou en Chine; impossible de trouver le temps d'une profonde plongée dans l'intérieur du pays, vers ces ruines d'Angkor. Mais enfin, pour une fois, à Saïgon me voilà au calme; notre action maritime étant terminée dans le golfe de Pékin, le lourd cuirassé que j'habite est certainement amarré ici pour plus d'un mois, contre le quai nostalgique, près de cet arsenal morne et quasi abandonné où le sol est rouge comme de la sanguine sous des feuillées trop magnifiquement vertes.

Et c'est ce soir, après de si longues années d'attente, que je pars cependant pour ma visite aux grandes ruines. La pluie tombe sur Saïgon, diluvienne comme d'habitude; tout ruisselle d'eau chaude. Une voiture m'emmène au chemin de fer (il commence banalement, mon voyage) et fait jaillir à flots une boue rougeâtre, sur les torses nus des passants ou sur leurs habits de toile blanche. Autour de la gare, des quartiers où l'on se croirait en pleine Chine, bien plutôt qu'en une colonie française.

Le train part. Dans les wagons, on étouffe malgré l'arrosage de l'averse. Au crépuscule, qui est plus hâtif sous les épais nuages, il nous faut traverser d'abord de mélancoliques étendues d'herbe, que jalonnent tant de vieux mausolées chinois couleur de rouille; toute la *Plaine des Tombeaux*, où déjà l'on y voit gris; n'était cette chaleur persistante, le soir de novembre sur ce steppe exotique serait pareil aux plus brumeux soirs de chez nous. Et ensuite la nuit nous prend, dans l'infini des rizières...

Après deux heures de course, le train s'arrête; nous sommes à Mytho et c'est la tête de ligne, la fin de ce modeste petit chemin de fer colonial. Ici, changement à vue, comme il arrive en ces régions; tous les nuages ont fondu au ciel, et le bleu nocturne s'étend limpide, merveilleux, avec son semis d'étoiles. Nous sommes auprès d'un grand fleuve tranquille, le Mékong; pour me porter d'abord au Cambodge, en remontant ces eaux, une mouche à vapeur doit m'attendre par là, non loin. La route qui m'y conduit, le long de la berge, est comme l'avenue d'un parc soigné; mais les arbres, qui la couvrent de leurs branches, sont plus grands que les nôtres, et les lucioles y font danser partout leurs feux légers. Paix et silence; le lieu serait adorable, sans cette lourdeur de l'air toujours, et ces senteurs alanguissantes. Quelques lumières, en ligne parmi la verdure, indiquent les rues, les allées plutôt, de l'humble ville provinciale qui fut tracée d'un seul coup sur la plaine unie. Et comment dire la tristesse, le recueillement songeur, pendant les nuits, de ces coins de France, de ces semblants de patrie égarés au milieu de la grande brousse asiatique, isolés de tout, même de la mer... Par petits groupes, des soldats en vêtements de toile blanche font dans ce chemin leur monotone promenade des soirs, et, en les croisant, je distingue des voix qui ont l'accent de Gascogne, d'autres de ma province natale; pauvres garçons, que des mamans anxieuses attendent au foyer trop lointain, et qui vont consumer ici une ou deux des plus belles années de leur vie! Peut-être y laisseront-ils de ces métis, qui peu à peu infiltrent le sang français à cette inassimilable race jaune: ensuite ils rentreront chez eux, anémiés pour longtemps par ce climat; ou bien n'y rentreront pas, mais s'en iront dormir avec des milliers d'autres dans la terre rouge de ces cimetières,--qui sont inquiétants d'être si vastes et si envahis d'herbes folles...

La mouche à vapeur appareille dès que je suis à bord; nous commençons à remonter le Mékong, suivant de près les rives où les arbres tendent comme un rideau intensément noir, et où les lucioles continuent leur danse d'étincelles. Avant d'atteindre la lisière des forêts du Siam, j'aurai à traverser tout l'État du Cambodge; mais je m'arrêterai à Pnom-Penh, la capitale du bon roi Norodon, où j'arriverai dans la nuit de demain.

III

Dimanche, 24 novembre 1901.

Mon petit bateau à vapeur toute la nuit a refoulé le courant du fleuve majestueux, et marché vers le Nord. Le lever du jour nous trouve continuant la même navigation paisible, le long de cette brousse indo-chinoise dont les interminables rideaux étaient si noirs sous les étoiles, mais sont devenus si éclatants sous le soleil. Des bananiers, des cocotiers, des palétuviers, des bambous, des joncs, serrés les uns aux autres en masse compacte et sans fin. A première vue, on croirait qu'il est inhabité, ce pays; à mieux regarder, cependant, on s'aperçoit combien son opulent manteau vert est déjà sournoisement travaillé en dessous par le microbe humain. De distance en distance, des espèces de foulées, comme en tracent les fauves, débouchent de dessous bois et vont au fleuve; c'est elles qui dénoncent d'abord la présence des villages; quand on passe tout auprès, des puanteurs animales viennent se mêler aux senteurs des plantes; de pauvres cabanes se révèlent, blotties parmi les branches, et des hommes apparaissent, bien humbles et comme négligeables sous l'éternelle verdure souveraine. Annamites grêles, au torse couleur de safran. Jeunes filles souvent gracieuses de corps et de visage, mais repoussantes dès qu'elles sourient, à cause de ces dents laquées de noir qui font ressembler leur bouche à un trou sombre. Une très petite humanité enfantine et déjà vieillotte qui n'a guère évolué depuis l'ancêtre préhistorique, et que la puissante flore tropicale dissimule depuis des siècles dans ses feuillées.

Beaucoup de pirogues sur ce fleuve, des pirogues faites chacune d'un tronc d'arbre creusé. Et, partout contre les berges, des engins primitifs pour la pêche, sortes de claies en jonc, en bambou, affectant diverses formes singulières; la plupart ressemblent à d'énormes cocons et sortent à peine du fouillis vert pour ne plonger qu'à moitié dans l'eau; presque l'on s'imaginerait voir les chrysalides d'où naissent ces bonshommes jaunes: sortes de vers, de mites, qui rongent ici l'admirable revêtement des plaines. Et, en plus de tant de pièges tendus, il y a les innombrables oiseaux pêcheurs, aux longues pattes, au long cou, au long bec cruel toujours prêt à saisir. Hommes et échassiers guettent ces myriades de vies silencieuses, rudimentaires, qui passent dans le fleuve; de toute antiquité leur chair s'est nourrie de la chair plus froide des poissons.

Plus d'une fois mon pilote s'égare, dans la monotonie de ses rives sans cesse pareilles; il s'engage dans des petits affluents trompeurs, bordés toujours des mêmes rideaux de verdure. Et là nous nous échouons, il faut rebrousser chemin.

Sur le soir, le type humain change. Ces rares habitants des berges, entrevus dans les roseaux, ont le type plus hindou, plus aryen; les yeux sont grands et *droits*, avec des sourcils bien dessinés; des moustaches ombragent les lèvres des hommes. Les habitations changent en même temps, se font plus hautes, élevées sur pilotis. Nous ne sommes plus en Cochinchine; nous venons d'entrer au Cambodge.

Et, à une heure après minuit, nous nous amarrons à un quai, devant la ville de Pnom-Penh qui dort sous les étoiles.

IV

Lundi, 25 novembre 1901.

L'air, ici, est déjà moins accablant qu'à Saïgon, moins chargé d'électricité et de vapeur d'eau. On se sent mieux vivre.

Et une mélancolie tout autre émane de cette ville, qui est perdue dans l'intérieur des terres, qui n'a ni grands navires, ni matelots, ni animation d'aucune sorte. Voici relativement peu d'années que le roi Norodon a confié son pays à la France, et déjà tout ce que nous avons bâti à Pnom-Penh a pris un air de vieillesse, sous la brûlure du soleil; les belles rues droites que nous y avons tracées, et où personne ne passe, sont verdies par les herbes; on croirait l'une de ces colonies anciennes, dont le charme est fait de désuétude et de silence...

Aujourd'hui cependant se trouve être le troisième jour de la traditionnelle «fête des eaux», et, le soir, quand le soleil tourne au rouge de cuivre, les bords du grand fleuve tout à coup s'animent. Dans l'une des jonques royales, dont l'avant représente l'énorme tête d'un monstre de rêve cambodgien, j'assiste, en compagnie d'une vingtaine de Français et de Françaises en résidence d'exil à Pnom-Penh, au défilé des longues pirogues de course; elles passent dans des remous furieux d'écume, menées par des hommes demi-nus qui pagayent debout en de belles attitudes, s'excitant par des cris.

V

Mardi, 26 novembre 1901.

A l'écart, sur la rive du fleuve, les vastes quartiers du roi s'étendent, environnés de silence; avec leurs préaux dénudés, ils forment comme une sorte de clairière au milieu de ce pays, à côté de cette ville que les arbres envahissent, et les chemins de terre rougeâtre qui les entourent sont criblés de larges empreintes par la promenade quotidienne des éléphants.

Aujourd'hui, au premier soleil de six heures et demie du matin, errant seul, je franchis la porte d'une cour de ce palais, une cour qui est très grande et pavée de blanc; au milieu, isolée dans ce vide si clair, une svelte pagode blanche et or, dont le toit se hérisse de pointes d'or, et, isolés aussi sur les côtés de cette petite solitude, deux hauts clochetons d'or étonnamment aigus, que supportent des rocailles garnies d'orchidées et de mille plantes rares. Je n'aperçois personne nulle part. Mais le silence ici prend une forme spéciale; un bruissement s'y mêle, en sourdine, sans le troubler, une vague musique aérienne que l'on ne définit pas tout de suite,--et c'est le concert des petites sonnettes argentines suspendues à chaque pointe des clochetons et des toits; le moindre souffle qui passe les fait tinter doucement.

Elle est toute neuve, cette pagode; elle éblouit par la blancheur de ses marbres, et ses ors étincellent. Ses fenêtres ont des couronnements d'or qui, sur le fond neigeux des murailles, se découpent comme de nettes joailleries et finissent en pointe de flèche. Quant à ses toits, couverts de céramiques dorées, ils ont des cornes à tous les angles, mais des cornes très, très longues, qui s'inclinent, se redressent, menacent en tous sens! A côté de ces cornes-là, celles des pagodes chinoises vraiment paraîtraient rudimentaires, à peine poussées; on dirait que plusieurs taureaux géants ont été décoiffés pour orner l'étrange temple.--Les différents peuples de race jaune restent hantés depuis des siècles par cette conception des toitures cornues sur leurs édifices religieux; mais ce sont les Cambodgiens qui les dépassent tous en extravagance...

Des pas s'approchent, des pas lourds... Ah! trois éléphants!... Sans prendre garde à moi ils traversent la cour, avec des airs entendus, empressés, comme des gens qui savent ce qu'ils ont à faire. Le bruit de leur marche et des sonnettes pendues à leur collier trouble une minute le concert éolien qui tombe discrètement d'en haut, et puis, dès qu'ils ont passé, revient ce musical silence, qui est adorable ici, dans la pureté et la quasi-fraîcheur du matin.

Les portes ouvertes de la pagode m'invitent à entrer.

A son plafond, à ses murailles, des ors trop vifs brillent partout, et mon pas résonne sur des plaques d'argent bien neuves, dont elle est entièrement dallée. Il y a donc encore à notre époque des pays où l'on songe à construire de tels sanctuaires!...

Presque aussitôt, par une porte différente, quatre petites créatures m'apparaissent, toutes jeunes, toutes menues, les cheveux coupés ras comme des garçons, et une fleur de gardénia piquée sur l'oreille. Les belles soies qui les couvrent, dessinant leurs gorges à peine formées, indiquent des femmes du palais,--sans nul doute des ballerines, puisqu'il n'y a guère que cela, paraît-il, à la cour du vieux roi Norodon. Au mouvement que je fais pour me retirer, elles répondent par un gentil signe timide, qui signifie: «Restez donc, vous ne nous gênez pas.» Et je les remercie d'un salut. Cette courtoisie humaine, que l'on nous a apprise aux deux bouts opposés du monde et dont nous venons de faire vaguement l'échange, est d'ailleurs notre seule notion commune... J'avais déjà rencontré dans ma vie bien des femmes-poupées, bien des femmes-bibelots, mais pas encore des Cambodgiennes *chez elles*, et je regarde celles-ci évoluer sur les dalles d'argent à pas silencieux, avec tant de grâce aisée et naïve; leurs torses, tous leurs membres ont dû être assouplis dès l'enfance par ces longues danses rituelles, qui sont d'usage ici, aux fêtes et aux funérailles. Qui les amène si matin vers ce temple, quel chagrin puéril? Et quelles sortes de prières peuvent bien formuler leurs petites âmes, qui en ce moment se révèlent anxieuses dans leurs yeux?...

La chaleur est déjà lourde quand je reviens au quartier des Français, pour chercher l'ombre à bord de mon petit bateau amarré contre la berge. Accablement et silence, dans ces rues si bien tracées mais vides, où l'herbe envahit les trottoirs. A part quelques forçats cambodgiens, tout nus, l'air nonchalant et heureux, qui arrosent les pelouses des jardins aux bizarres fleurs, je ne rencontre plus personne: la ville du roi Norodon va s'endormir jusqu'à la tombée du jour, sous l'éblouissement de son soleil. Et décidément ce petit coin de France, qui est venu se greffer là, ne semble pas viable, tant il a pris, en peu d'années, un air de vétusté et d'abandon.

A trois heures de l'après-midi, je fais appareiller pour continuer mon voyage vers les ruines d'Angkor, en remontant le cours du Mékong.

Aussitôt disparaît Pnom-Penh. Et la grande brousse asiatique recommence de nous envelopper entre ses deux rideaux profonds, en même temps que se révèle, partout alentour, une vie animale d'intensité fougueuse. Sur les rives, que nous frôlons presque, des armées d'oiseaux pêcheurs se tiennent au guet, pélicans, aigrettes et marabouts. Parfois des compagnies de corbeaux noircissent l'air. Dans le lointain, se lèvent des petits nuages de poussière verte, et, quand ils s'approchent, ce sont des vols d'innombrables perruches.

Çà et là, des arbres sont pleins de singes, dont on voit les longues queues alignées pendre comme une frange à toutes les branches.

De loin en loin, des habitations humaines, en groupe perdu. Toujours un fuseau d'or les domine, pointant vers le ciel: la pagode.

Mes hommes ayant demandé de s'approvisionner de fruits pour la route, je fais arrêter, à l'heure du crépuscule, contre un grand village bâti sur pilotis tout au bord du fleuve. Des Cambodgiens souriants s'avancent aussitôt, pour offrir des cocos frais, des régimes de bananes. Et, tandis que les marchés se discutent, une énorme lune rouge surgit là-bas, sur l'infini des forêts.

La nuit vient quand nous nous remettons en route. Cris de hiboux, cris de bêtes de proie; concert infini de toutes sortes d'insectes à musique, qui délirent d'ivresse nocturne dans les inextricables verdures.

Et puis, sur le tard, les eaux s'élargissent, tellement que nous ne voyons plus les rives: nous entrons dans le lac immense, formé ici chaque année, après la saison des pluies, par le puissant fleuve qui périodiquement inonde les plaines basses du Cambodge et une partie des forêts du Siam. Pas un souffle de brise. Comme sur de l'huile, nous traçons, en glissant sur ce lac de la fièvre, des plissures molles, que la lune argente. Et l'air tiède, que nous fendons vite, est encombré par des nuées de bestioles étourdies, qui s'assemblent en tourbillon à l'appel de nos lanternes et s'abattent en pluie sur nous: moucherons, moustiques, éphémères, scarabées ou libellules.

Vers minuit, alors que nous venions de nous endormir, fenêtres ouvertes et demi-nus, tout à coup nous arrive un essaim d'énormes scarabées noirs, bardés de piquants comme des châtaignes, mais d'ailleurs inoffensifs, qui se promènent en hâte, explorant notre poitrine et nos bras.

VI

Mercredi, 27 novembre 1901.

Sur le lac, grand comme une mer, voici le lever du soleil. Et en quelques minutes tout se colore. A l'horizon de l'Est, l'air limpide devient tout rose, et une ligne d'un beau vert chinois indique la continuation sans fin de la forêt noyée. Par contraste, du côté de l'Ouest--où la rive est trop lointaine pour être vue--il y a des amoncellements de choses sombres, chaotiques, terrifiantes, qui pèsent sur les eaux; des choses qui se tiennent debout, ainsi que des blocs de montagnes, et se découpent aussi nettes que des cimes réelles dans le ciel pur, mais que l'on dirait prêtes à des écroulements formidables comme ceux des fins de monde; l'ensemble de tout cela est raviné, creusé, tourmenté, avec des ténèbres dans les replis, avec des rougeurs de cuivre sur les saillies. Et juste au-dessus, comme posée, la vieille lune morte, la grande pleine lune couleur d'étain, commence à pâlir devant ce soleil qui surgit en face. Tout ce côté de l'Ouest serait à ne pas regarder, à faire peur, si l'on ne savait ce que c'est: un orage, d'aspect cent fois plus terrible que les nôtres, qui couve avec un air de dormir, et vraisemblablement n'éclatera pas.

C'est de là que nous étaient venues, sur la fin de la nuit, cette chaleur et cette sorte de tension électrique si énervantes; avec l'habitude de ces climats, nous avions deviné, avant de le voir, qu'il y avait quelque part dans l'air un épouvantail de ce genre. Mais voici que cela se déforme, s'atténue, cesse de donner l'illusion de la consistance, et on respire mieux à mesure que tout achève de se dissoudre: des nuages quelconques à présent; bientôt après, de simples vapeurs, qui restent pour embrumer chaudement la partie occidentale de cette petite mer, où nous passons seuls.

Pas une jonque en vue; pas plus de trace de l'homme qu'avant son apparition dans la faune terrestre. Mais çà et là de longues traînées, d'un blanc rosé, font des marbrures sur les eaux verdâtres saturées de matières organiques, et ce sont des compagnies de pélicans qui dorment et se laissent flotter.

Jusqu'au milieu du jour, nous continuons de cheminer sur le lac inerte, qui a des luisances d'étain poli. A l'horizon de l'Est, une espèce de moutonnement vert se prolonge sans fin, toujours semblable à lui-même: grands arbres, qui baignent jusqu'aux branches et dont les dômes seulement émergent encore. Ce n'est qu'un faux rivage, puisque sous la verdure le lac ne cesse de s'étendre à d'imprécises distances; ce n'est que la limite des eaux plus profondes, où la végétation perdrait pied.

Trente lieues, quarante lieues de forêt noyée défilent ainsi, tant que dure notre course paisible vers le Nord. Zone immense, inutilisable en cette saison pour l'homme, mais réservoir prodigieux de vie animale; ombrages pleins d'embûches de guets-apens, de griffes, de becs féroces, de petites dents venimeuses, de petits dards aiguisés pour les piqûres mortelles. Des ramures plient sous le poids des graves marabouts au repos; des arbres sont si chargés de pélicans que, de loin, on les croirait tout fleuris de grandes fleurs pâlement roses.

Aux instants où nous naviguons en frôlant presque cette forêt au vert éternel, les hôtes des branches s'épeurent, prennent leur vol. Et alors, de près, nous voyons des écheveaux de lianes, comme dévidés sur les arbres, les rattachant les uns aux autres, tellement que tout cela se tient pour ne former qu'une seule masse indémêlable.

A une heure, nous prenons notre mouillage, à l'ombre, dans une petite baie, enclose de folle verdure. C'est, paraît-il, le point où doivent venir me chercher les grands sampans commandés d'avance au chef du plus prochain village sur la route d'Angkor; la mouche à vapeur qui m'a conduit jusque-là ne pourrait du reste s'avancer davantage sous bois.

Ils apparaissent vers six heures du soir, ces sampans à toiture, sortant l'un après l'autre de dessous les lianes en fouillis. Le grand soleil rouge vient de se coucher quand j'y prends place, avec mon serviteur français, mon interprète cambodgien, mon boy chinois, notre petit bagage de nomades. Et nous commençons de nous enfoncer à l'aviron dans le dédale des arbres, au cœur de la forêt noyée qui se referme sur nous, tandis que la nuit vient nous envelopper, presque soudaine, sans crépuscule.

La région que nous allons traverser n'est que pendant six mois par an transformée en lac; bientôt les eaux se retireront, laissant reparaître la terre qui va hâtivement se couvrir d'herbages. Et les hommes reviendront bâtir des huttes pour la saison sèche, ramenant leurs troupeaux et suivis de l'inévitable cortège des tigres et des singes; la vie pastorale reprendra pied ici, jusqu'aux pluies prochaines.

Tous ces grands arbres, immergés jusqu'à la naissance des branches, simulent dans l'obscurité nos chênes ou nos hêtres; on dirait un pays inondé de nos climats, s'il n'y avait cette chaleur lourde, ces excès de senteurs, ces excès de bruissements partout, cette pléthore de sève et de vie. Le ciel s'est de nouveau rempli de nuées d'orage et l'air redevient accablant. Nuit sans étoiles et sans lune. Dans cette zone, point de silhouettes de palmes. Les énormes touffes noires, qui se suivent en procession indéfinie sur notre passage, rappellent les cimes de nos arbres, bien qu'elles soient d'essences inconnues; on les voit, malgré la nuit, se dédoubler dans le miroir obscurci des eaux, et leurs vagues images renversées suffisent à maintenir pour nous le sentiment de l'inondation, de l'anormal, du cataclysme. A tout instant nous heurtons les feuillées épaisses, d'où retombent sur nos épaules des lézards qui dormaient, des éphémères par myriades, des petits serpents ou bien des sauterelles. Souvent nos rameurs s'égarent, s'interpellent en lugubres cris asiatiques, et changent de route. Les ruines auxquelles nous allons faire visite sont vraiment bien gardées, par une telle forêt...

Au bout de deux heures cependant nous réussissons à sortir de dessous bois, pour entrer dans un marécage, parmi des herbes géantes. Là, sommeille une rivière très étroite, dont nous commençons à remonter le cours, frôlés par les joncs, les plantes de toute sorte. Nuit de plus en plus noire. Au passage, nous faisons lever de grands oiseaux qui s'effarent, ou bien une loutre, ou quelque biche que l'on entend fuir avec des bonds légers. Et vers dix heures enfin, tandis que nos bateliers continuent de ramer sans arrêt, nous nous étendons sous nos moustiquaires, pour dormir aussitôt d'un confiant sommeil.

VII

Jeudi, 28 novembre 1901.

Environ deux heures du matin. Nous sommes réveillés, mais délicieusement et à peine, par une musique lente, douce, jamais entendue et si étrange... Ce n'est ni très loin, ni très près... Des flûtes, des tympanons, des cithares; on dirait aussi des carillons de clochettes, et des gongs argentins rythmant la mélodie en sourdine. En même temps nous percevons que le bruit des rames a fait trêve, que le sampan ne marche plus. Donc, nous voici au terme de notre voyage par eau, et amarrés sans doute contre la rive pour débarquer ensuite au lever du soleil. La musique persiste, monotone, répétant toujours les mêmes phrases, qui ne fatiguent pas mais qui bercent. Et nous nous rendormons bientôt, ayant dit en nous-mêmes, pendant ces minutes d'un demi-réveil: «C'est bon, nous sommes arrivés au Siam, devant quelque village, et il y a fête nocturne... dans la pagode... en l'honneur des dieux d'ici...»

Six heures et demie du matin. Réveil encore, mais pour tout de bon cette fois, car il fait jour; entre les planches qui nous abritent, nous voyons filtrer des rais de lumière rose. La musique n'a pas cessé, toujours douce et pareille, mêlée maintenant à l'aubade sonore des coqs, aux bruits de la vie diurne qui revient.

Et c'est un enchantement de regarder au dehors! Si la végétation de la forêt noyée, sur laquelle nos yeux s'étaient fermés, rappelait celle de nos climats, ici la plus extravagante flore tropicale s'éploie en toutes sortes de palmes, de grandes plumes vertes, de grands éventails verts. Nous sommes devant un village, sur une petite rivière aux berges de fleurs. A travers les roseaux, le soleil levant jette partout ses flèches d'or. Des maisonnettes de chaume, sur pilotis, s'alignent le long d'un sentier de sable fin. Des gens demi-nus, sveltes, aux torses cuivrés, circulent parmi la verdure. Ils passent et repassent, un peu pour nous voir, mais les regards sont discrets, souriants et bons. Les fleurs embaument: une odeur de jasmin, de gardénia, de tubéreuse. Dans la pure lumière qui renaît, ce naïf va-et-vient matinal semble une scène des vieux âges où l'homme avait encore la tranquillité. Et puis, habitués comme nous l'étions à la laideur des filles d'Annam, qui n'y voient qu'entre des paupières bridées, par deux petits trous obliques, combien cela nous change et nous repose d'arriver au milieu d'une population qui ouvre ses yeux à peu près comme nous ouvrons les nôtres!

Et nous mettons pied à terre,--au Siam[1]. Là-bas, sous un hangar à toiture de nattes qui est la pagode, les musiciens de cette nuit, qui ont cependant fait silence, se tiennent accroupis auprès de leurs tympanons, de leurs flûtes et de leurs cithares. Ils avaient donné tout ce concert pour d'humbles images bouddhiques, peinturlurées de bleu, de rouge et d'or, qui sont là pendues et devant lesquelles se fanent des offrandes de fleurs: lotus, nénufars et jasmins.

Note 1: (retour) On sait que des arrangements récents pris avec le Siam ont cédé le territoire d'Angkor au Cambodge, autrement dit à la France.

Arrivent maintenant mes charrettes à bœufs, commandées depuis hier au chef du district; cinq charrettes, car il n'y a place dans chacune que pour une seule personne, tout contre le dos du cocher. Elles ressemblent à des espèces de mandolines qui seraient posées sur des roues et que l'on aurait attelées par leur long manche, courbé en proue de gondole.

Il faut se hâter de partir, afin d'arriver à Angkor avant le midi brûlant. Et le voyage commence en suivant l'étroite rivière par un sentier de sable bordé de roseaux et de fleurs; c'est sous une colonnade de hauts cocotiers d'où retombent des guirlandes de lianes, fleuries en grappes. Il fait une fraîcheur matinale exquise, sous ces grandes palmes; nous traversons des villages, tranquilles et jolis comme à l'âge d'or, où les gens nous regardent passer avec des sourires de bienveillance timide. La race semble de plus en plus mélangée de sang indien, car beaucoup de jeunes filles ont de grands yeux noirs, ombrés comme ceux des bayadères.

Halte au bout d'une heure à Siem-Reap, presque une ville, mais tout à fait siamoise, avec ses maisonnettes toujours perchées sur pilotis, et sa pagode qui se hérisse de cornes d'or. Il y a cependant un petit bureau de poste, tout campagnard, où l'on peut affranchir ses lettres avec des timbres à l'effigie du roi Chulalongkorn. Et un petit bureau de télégraphe, car on m'apporte une dépêche ainsi conçue: «Résident supérieur de Pnom-Penh à gouverneur de Siem-Reap. Vous prie faire prévenir M. Pierre Loti qu'il trouvera quatre éléphants à Kompong-luong à son retour.» C'est à souhait; les quatre éléphants, je les avais fait demander au bon roi Norodon, afin de pouvoir me rendre, après le pèlerinage d'Angkor, à la pagode où reposent les cendres de la reine mère du Cambodge, au milieu des bois.

Après Siem-Reap, nos charrettes à bœufs quittent la rivière, pour tourner dans un autre chemin de sable qui plonge en pleine forêt. Alors c'est fini tout à coup des grandes plumes vertes au-dessus de nos têtes; toute cette végétation de cocotiers et d'arékiers se localisait au bord de l'eau; nous pénétrons sous des feuillages qui ressemblent à ceux de nos climats, seulement les arbres qui les portent seraient un peu des géants à côté des nôtres. Malgré tant d'ombre, la chaleur, à mesure que monte le soleil, devient de minute en minute plus accablante. Suivant le vague sentier, à travers la futaie démesurée et la brousse impénétrable, nos charrettes sautillent, au trot de nos bœufs, entre deux rangées de buissons ou de fougères. Et les singes prudents grimpent au plus haut des branches.

C'est au bout de deux heures environ de cette course en forêt que la ville fabuleuse tout à coup se révèle à nos yeux, quand déjà nous nous sentions pris par le sommeil, à force de cahots, de bercement et de chaleur.

Devant nous voici de l'espace libre qui se développe; un marais envahi par les herbes et les nénufars; puis toute une vaste coupée, pour nous dégager enfin de ces bois où nous cheminions enfermés. Et plus loin, au delà de ces eaux stagnantes, voici des tours ayant forme de tiare, des tours en pierre grise, de prodigieuses tours mortes qui se profilent sur le ciel pâli de lumière! Oh! je les reconnais tout de suite, ce sont bien celles de la vieille image qui m'avait tant troublé jadis, un soir d'avril, dans mon musée d'enfant... Donc, je suis en présence de la mystérieuse Angkor!

Cependant je n'ai pas l'émotion que j'aurais attendue. Il est trop tard sans doute dans ma vie, et j'ai déjà vu trop de ces débris du grand passé, trop de temples, trop de palais, trop de ruines. D'ailleurs, tout cela est comme estompé sous l'éblouissement du jour; on le voit mal, parce qu'il fait trop clair. Et puis, surtout, midi approche, avec sa lassitude, avec son invincible somnolence.

Ces enceintes colossales et ces tours, qui viennent de nous apparaître comme quelque mirage de la torride chaleur, ce n'est pas la ville même, mais seulement *Angkor-Vat*, son principal temple,--auprès duquel nous devons camper pour ce soir. La ville, Angkor-Thom, on nous dit qu'elle gît plus loin, immense et imprécise, ensevelie sous la forêt tropicale.

Pour conduire à cette basilique-fantôme, un pont des vieux âges, construit en blocs cyclopéens, traverse l'étang encombré de roseaux et de nénufars; deux monstres, rongés par le temps et tout barbus de lichen, en gardent l'entrée; il est pavé de larges dalles qui penchent et, par places, on le dirait près de crouler dans l'eau verdâtre. Au pas de nos bœufs, nous le traversons, presque endormis; à l'autre bout s'ouvre une porte, surmontée de donjons comme des tiares, et flanquée de deux gigantesques serpents cobras qui se redressent, éployant en éventail leurs sept têtes de pierre.

Et, cette porte franchie, nous voici en dedans de la première enceinte, qui a plus d'une lieue de tour: une morne solitude enclose, simulant un jardin à l'abandon; des broussailles, enlacées de jasmins qui embaument, et d'où l'on voit çà et là surgir des débris de tourelles, des statues qui ferment les yeux, ou bien des têtes multiples de grands cobras sacrés. Le soleil nous brûle, maintenant que nous avons quitté l'ombre des épaisses ramures. Une avenue dallée de pierres grises allonge devant nous sa ligne fuyante, s'en va droit jusqu'au sanctuaire, dont la masse gigantesque domine à présent toutes choses; avenue sinistre, passant au milieu d'un petit désert trop mystérieux, et pour mener à des ruines, sous un soleil de mort. Mais, plus nous approchons de ce temple, que nous pensions voué au définitif silence, plus il semble qu'une musique douce arrive à nos oreilles,--qui sont un peu troublées, à dire vrai, par la fiévreuse chaleur et le besoin de dormir... C'est bien une musique pourtant, distincte du concert des insectes et du grincement de nos chariots; c'est quelque chose comme une lente psalmodie humaine, à voix innombrables... Qui donc peut chanter ainsi dans ces ruines, et malgré les lourdeurs accablantes de midi?...

Quand nous sommes au pied même des écrasantes masses de pierres sculptées, des terrasses, des escaliers, des tours qui pointent dans le ciel, nous rencontrons le village d'où montent ces prières chantées: parmi quelques hauts palmiers frêles, des maisonnettes sur pilotis, en bois et en nattes, très légères, avec d'élégantes petites fenêtres festonnées, qui se garnissent aussitôt de têtes curieuses, pour nous voir venir. Ce sont des personnages au crâne rasé, tous uniformément vêtus d'une robe couleur citron et d'une draperie couleur orange. Ils chantent à demi-voix et nous regardent sans interrompre leur litanie tranquille.

Très singulier village, où il n'y a point de femmes, point de bétail, point de cultures; rien que ces chanteurs, jaunes de figure et vêtus en deux nuances de jaune. Environ deux cents bonzes du Cambodge et du Siam, préposés à la garde des ruines sacrées, vivent là dans les continuelles prières, psalmodiant nuit et jour devant l'amas des blocs titanesques accumulés en montagne.

Tout de même l'arrivée de nos charrettes, de nos bœufs, de nos bouviers, interrompt un instant leur monotone rêve. Pour nous faire accueil, deux ou trois d'entre eux descendent des maisonnettes perchées, et, le crâne luisant sous le soleil, s'avancent à notre rencontre, sans hâte et à l'aise, dans cette chaleur qui tombe d'aplomb sur la terre et que la terre renvoie plus malsaine et plus mouillée.

Ils nous offrent comme gîte le grand abri qui sert aux fidèles pendant les pèlerinages: c'est, sur pilotis comme leurs maisons, un plancher à claire-voie et une toiture de chaume que supportent des colonnes en bois rougeâtre. Point de muraille; nous n'aurons jour et nuit pour nous enfermer que les draperies transparentes de nos moustiquaires. Pour mobilier, rien qu'un vieil autel bouddhique, aux dieux d'or mourant, devant lesquels des petits tas de cendre attestent qu'on leur a brûlé beaucoup de baguettes parfumées[2].

Nous campons là sur des nattes, derrière nos mousselines hâtivement tendues, heureux de pouvoir enfin nous allonger, à cinq ou six pieds au-dessus de la terre où rampent les serpents, heureux de sentir nos têtes protégées par un vrai toit, qui donne, sinon de la fraîcheur, du moins de l'ombre épaisse. Et, cherchant l'ombre aussi, nos bœufs se couchent sous notre maison, contre le sol humide et chaud.

Note 2: (retour) Depuis qu'Angkor appartient à la France, on a bâti, paraît-il, une maisonnette dans le genre d'un *bungalow* indien pour loger les visiteurs d'Europe.

S'il y avait de l'air, il nous en viendrait de partout, même d'en bas, puisque le plancher est à jour; mais il n'y en a nulle part, à cette heure où tout est brûlant, immobile et languide. La torpeur méridienne achève d'éteindre les bruits, de figer les choses; l'éternelle psalmodie des bonzes, le murmure même des insectes semblent mettre une pédale sourde et se ralentir. A travers la mousseline comme à travers une brume, nous continuons de voir, tout près, tout près, les énormes soubassements du temple, dont nous devinons les tours se perdant là-haut, dans de l'incandescence blanche. La lourdeur et le mystère de ces grandes ruines qui emplissent la moitié du ciel, m'inquiètent davantage à mesure que mes yeux se ferment; et c'est seulement lorsque le sommeil est près de me faire sombrer dans l'inconscience que je reconnais bien comme accompli mon souhait de jadis, que je me sens tout à fait arrivé à Angkor...

Je dois avoir dormi deux ou trois heures, quand par degrés la conscience me revient... Qu'est-ce donc que je rêvais? Cela se passait dans un pays sans nom où il faisait tristement sombre; près de moi, sur une plage blanchâtre, le long d'une mer confuse et noire, s'agitaient des silhouettes humaines,--que peut-être j'ai aimées au cours de quelque existence précédente; qui sait, car mon cœur se serre un peu quand la grande lueur réelle, tout à coup revenue, les chasse dans le non-être sans retour... Où suis-je bien?... Sur quelle région de la Terre se rouvrent mes yeux?... Il fait chaud, d'une chaleur molle, comme si je m'étais couché au-dessus d'une vasque d'eau bouillante... De l'ombre sur ma tête. Mais, autour de moi, encadrées par ces espèces de franges qui retombent de la toiture en roseaux, des choses proches éclatent dans une lumière trop vive: ce sont des feuillages inondés de soleil et d'interminables alignements de pierres grises, dont la réverbération m'éblouit. Et puis dans l'air il y a des chants, comme des plaintes, sur un rythme inconnu.--Ah! les litanies des bonzes.--Et ces pierres grises?--Oui, je me rappelle: les assises colossales dés ruines... Je dormais depuis midi au pied du grand temple d'Angkor, dans cette clairière qui est gardée par des fossés et des petits murs, et que, de toutes parts, en silence, la forêt tropicale environne de ses épais linceuls verts.

Trois heures et demie, l'instant où chacun s'éveille ici, après l'accablement diurne. Sous le plancher à claire-voie, j'entends les bœufs qui se relèvent, les bouviers qui recommencent à parler. Les mouches bourdonnent en *crescendo* et les bonzes psalmodient plus fort.

Aucun nuage au ciel, aucune menace. Toute la voûte resplendit, pâlement bleue, au-dessus des énormes tours. Sans doute l'arrosage tropical va faire trêve encore pour ce soir. Que l'on attelle donc à nouveau les charrettes: au lieu d'entrer dans le temple, j'irai plutôt voir la ville, là-bas sous le suaire des arbres. Elle est loin, cette ville ensevelie. Tandis qu'il y a dix mètres à peine entre ma maisonnette suspendue et les marches qui mènent aux premières galeries du sanctuaire; il me sera toujours facile de m'y rendre, sous n'importe quelle ondée.

Avec les mêmes grincements de roues, la même lenteur berçante, nous retraversons le bocage enclos, ensuite le portique du seuil, le pont où se tiennent en sentinelle les grands serpents à sept têtes.

Et, par les vagues sentiers de brousse, nous nous replongeons sous le couvert infini de la forêt. Alors la chaleur, qui continue de peser aussi lourdement sur nos épaules, se fait tout à coup ombreuse et mouillée; des tourbillons de moustiques nous enveloppent, et nous respirons cette malaria spéciale qui donne la *fièvre des bois*.

Nous cheminions depuis une heure à travers la futaie ininterrompue, parmi les fleurs étranges, quand enfin les remparts de la ville se dressent devant nous, toujours en pleine nuit verte, sous l'enlacement des ramures. Ils étaient défendus jadis par des fossés de cent mètres de large, que la terre et les feuilles mortes achèvent de combler, et ils avaient plus de quatre lieues de pourtour. On croirait à présent des rochers, tant ils sont hauts et frustes, déformés par le travail patient des racines, envahis par les broussailles et les fougères. Et la «Porte de la Victoire», sous laquelle nous allons passer, on dirait, au premier aspect, l'entrée d'une caverne frangée de lianes...

A des époques imprécises, cette ville, depuis des siècles ensevelie, fut une des splendeurs du monde. De même que le vieux Nil, avec son limon seul, avait fait éclore dans sa vallée une civilisation merveilleuse, ici le Mékong, épandant chaque année ses eaux, avait déposé de la richesse et préparé l'empire fastueux des Khmers. C'est vraisemblablement à l'époque d'Alexandre le Macédonien qu'un peuple émigré de l'Inde vint s'implanter sur les bords de ce grand fleuve, après avoir subjugué les indigènes craintifs (des hommes à petits yeux, adorateurs du serpent). Les conquérants amenaient à leur suite les dieux du brahmanisme, les belles légendes du Ramayana, et, à mesure que croissait leur opulence sur ce sol fertile, ils élevaient partout des temples gigantesques, ciselés de mille figures.

Plus tard--quelques siècles plus tard, on ne sait trop, car l'existence de ce peuple s'est beaucoup effacée de la mémoire des hommes--les puissants souverains d'Angkor virent arriver, de l'Occident, des missionnaires en robe jaune, porteurs de la lumière nouvelle dont s'émerveillait le monde asiatique: le Bouddha, devancier de son frère Jésus, venait d'éclairer l'Inde, et ses envoyés se répandaient vers l'Extrême-Asie, pour y prêcher cette même morale de pitié et d'amour que les disciples du Christ avaient récemment donnée à l'Europe. Alors les farouches temples de Brahma devinrent des temples bouddhiques; les statues de leurs autels changèrent d'attitude et baissèrent les yeux avec des sourires plus doux.

Il semble que, sous le bouddhisme, la ville d'Angkor connut l'apogée de sa gloire. Mais l'histoire de son rapide et mystérieux déclin n'a pas été écrite, et la forêt envahissante en garde le secret. Le petit Cambodge actuel, conservateur de rites compliqués au sens perdu, est un dernier débris de ce vaste empire des Khmers, qui depuis plus de cinq cents ans a fini de s'éteindre sous le silence des arbres et des mousses...

Donc, à travers l'ombre, nous arrivons à la «Porte de la Victoire», qui d'abord nous semblait l'entrée d'une grotte. Cependant elle est surmontée de monstrueuses figures de Brahma, que nous cachaient les racines enlaçantes, et, de chaque côté, dans des espèces de niches, sous les feuillées, se tiennent embusqués d'informes éléphants à trois têtes.

Au delà de cette porte couronnée de sombres visages, nous pénétrons dans ce qui fut la ville immense. Il faut le savoir, car, à l'intérieur des murailles, la forêt se prolonge, aussi ombreuse, aussi serrée, éployant aussi haut ses ramures séculaires. Nous quittons là nos charrettes pour nous avancer à pied par des sentiers à peine tracés, des foulées de bête fauve; comme guide, j'ai mon interprète cambodgien, qui est un familier des ruines; à sa suite, nos pas s'étouffent dans l'herbe, et nous n'entendons que le glissement discret des serpents, la fuite légère des singes.

Cependant de méconnaissables débris d'architecture apparaissent un peu partout, mêlés aux fougères, aux cycas, aux orchidées, à toute cette flore de pénombre éternelle qui s'étale ici sous la voûte des grands arbres. Quantité d'idoles bouddhiques, petites, moyennes ou géantes, assises sur des trônes, sourient au néant; on les avait taillées dans la pierre dure et elles sont restées, chacune à sa même place, après l'écroulement des temples, qui devaient être en bois sculpté; presque toujours de pieux pèlerins leur ont construit des toits en chaume pour les abriter contre les averses d'orage; on leur a même brûlé des baguettes d'encens et apporté des fleurs; mais il n'y a point de bonzes habitant à leurs côtés, à cause de la terrible «fièvre des bois» qui ne permet pas de dormir sous l'épaisseur des cimes vertes, et, même aux époques des grands pèlerinages, on les laisse passer leurs nuits dans la solitude.

Voici où furent des palais, voici où vécurent des rois prodigieusement fastueux,--de qui l'on ne sait plus rien, qui ont passé à l'oubli sans laisser même un nom gravé sur une pierre ou dans une mémoire. Ce sont des constructions humaines, ces hauts rochers qui, maintenant, font corps avec la forêt et que des milliers de racines enveloppent, étreignent comme des pieuvres.

Car il y a un entêtement de destruction même chez les plantes. Le Prince de la Mort, que les Brahmes appellent Shiva, celui qui a suscité à chaque bête l'ennemi spécial qui la mange, à chaque créature ses microbes rongeurs, semble avoir prévu, depuis la nuit des origines, que les hommes tenteraient de se prolonger un peu en construisant des choses durables; alors, pour anéantir leur œuvre, il a imaginé, entre mille autres agents destructeurs, les pariétaires, et surtout ce «figuier des ruines» auquel rien ne résiste.

C'est le «figuier des ruines» qui règne aujourd'hui en maître sur Angkor. Au-dessus des palais, au-dessus des temples qu'il a patiemment désagrégés, partout il déploie en triomphe son pâle branchage lisse, aux mouchetures de serpent, et son large dôme de feuilles. Il n'était d'abord qu'une petite graine, semée par le vent sur une frise ou au sommet d'une tour. Mais, dès qu'il a pu germer, ses racines, comme des filaments ténus, se sont insinuées entre les pierres pour descendre, descendre, guidées par un instinct sûr, vers le sol, et, quand enfin elles l'ont rencontré, vite elles se sont gonflées de suc nourricier, jusqu'à devenir énormes, disjoignant, déséquilibrant tout, ouvrant du haut en bas les épaisses murailles; alors, sans recours, l'édifice a été perdu.

La forêt, toujours la forêt, et toujours son ombre, son oppression souveraine. On la sent hostile, meurtrière, couvant de la fièvre et de la mort; à la fin, on voudrait s'en évader, elle emprisonne, elle épouvante... Et puis, les rares oiseaux qui chantaient viennent de faire silence, et qu'est-ce que c'est que cette obscurité soudaine? Il n'est pas l'heure cependant; il doit y avoir autre chose que l'épaisseur des verdures, là-haut, pour rendre les sentiers si sombres... Ah! un tambourinement général sur les feuillées, une averse diluvienne! Au-dessus des arbres, nous n'avions pas vu que tout à coup le ciel devenait noir. L'eau ruisselle, se déverse à torrents sur nos têtes; vite, réfugions-nous là-bas, près d'un grand Bouddha songeur, à l'abri de son toit de chaume.

Cela dure longtemps, l'hospitalité forcée de ce dieu,--et c'est infiniment triste, dans le mystère de dessous bois, au baisser du jour.

Quand le déluge enfin s'apaise, il serait temps de sortir de la forêt pour ne pas s'y laisser surprendre par la nuit. Mais nous étions presque arrivés au *Bayon*, le sanctuaire le plus ancien d'Angkor et célèbre par ses *tours aux quatre visages*; à travers la futaie semi-obscure, on l'aperçoit d'ici, comme un chaos de rochers. Allons quand même le voir.

En pleine mêlée de ronces et de lianes ruisselantes, il faut se frayer un chemin à coups de bâton pour arriver à ce temple. La forêt l'enlace étroitement de toutes parts, l'étouffe et le broie; d'immenses «figuiers des ruines», achevant de le détruire, y sont installés partout jusqu'au sommet de ses tours qui leur servent de piédestal. Voici les portes; des racines, comme des vieilles chevelures, les drapent de mille franges; à cette heure déjà tardive, dans l'obscurité qui descend des arbres et du ciel pluvieux, elles sont de profonds trous d'ombre devant lesquels on hésite. A l'entrée la plus proche, des singes qui étaient venus s'abriter, assis en rond pour tenir quelque conseil, s'échappent sans hâte et sans cris; il semble qu'en ce lieu le silence s'impose. On n'entend que de furtifs bruissements d'eau: les feuillages et les pierres qui s'égouttent après l'averse.

Le guide cambodgien insiste pour partir; nous n'avons pas de lanternes à nos charrettes, dit-il, et il faut rentrer avant l'heure du tigre. Soit, allons-nous-en; mais nous reviendrons, exprès pour ce temple infiniment mystérieux.

Tout de même, avant de m'éloigner, je lève la tête vers ces tours qui me surplombent, noyées de verdure,--et je frémis tout à coup d'une peur inconnue en apercevant un grand sourire figé qui tombe d'en haut sur moi,... et puis un autre sourire encore, là-bas sur un autre pan de muraille,... et puis trois, et puis cinq, et puis dix; il y en a partout, et j'étais surveillé de toutes parts... Les *«tours à quatre visages!»* Je les avais oubliées, bien qu'on m'en eût averti... Ils sont de proportions tellement surhumaines, ces masques sculptés en l'air, qu'il faut un moment pour les comprendre; ils sourient sous leurs grands nez plats et gardent les paupières mi-closes, avec je ne sais quelle féminité caduque; on dirait des vieilles dames discrètement narquoises. Images des dieux qu'adorèrent, dans les temps abolis, ces hommes dont on ne sait plus l'histoire; images auxquelles, depuis des siècles, ni le lent travail de la forêt, ni les lourdes pluies dissolvantes n'ont pu enlever *l'expression*, l'ironique bonhomie, plus inquiétante encore que le rictus des monstres de la Chine...

Nos bœufs trottent bon train pour le retour, comme devinant qu'il faut sortir avant la nuit de cette forêt, mouillée d'eau chaude, qui déjà se fait obscure presque soudainement, sans crépuscule. Et le souvenir des trop grandes vieilles dames, qui sourient là-bas derrière nous, discrètes au-dessus des amas de ruines, continue de me poursuivre pendant cette fuite sautillante et cahotée à travers la brousse.

Quand je retrouve enfin l'air libre, devant les larges fossés de nénufars, à l'entrée du pont cyclopéen, le ciel déblayé a repris une limpidité de cristal, et c'est l'instant où commencent à palpiter les étoiles. Au bout de la clairière réapparue, les tours du temple d'Angkor-Vat se dressent très haut; elles ne sont plus, comme à midi, pâlies par un excès de soleil, presque nébuleuses; d'une netteté violente, à présent, elles découpent à l'emporte-pièce, sur fond d'or vert, leurs silhouettes de tiares à plusieurs rangs de fleurons, et une grande étoile, l'une des premières allumées, scintille au-dessus, magnifiquement... Alors revient chanter en moi la phrase enfantine de jadis: «Au fond des forêts du Siam, j'ai vu l'étoile du soir se lever sur les grandes ruines d'Angkor.»

Après l'étouffement des voûtes d'arbres, après la forêt pleine d'embûches, on a déjà une impression de sécurité et de «chez soi» à rentrer dans l'immense enclos du temple où les broussailles n'ont guère plus que la taille humaine et où l'avenue dallée s'en va droite et sûre vers un semblant de village. Le chant des bonzes est aussi là pour me faire accueil, et quand je remonte par la petite échelle dans ma maisonnette sur pilotis et sans murailles, tout cela me semble hospitalier.

C'est à nuit close, précédé d'un Siamois porteur de torche, que je franchis enfin le seuil de ce temple colossal d'Angkor-Vat. J'avais cependant pris mon parti de n'y commencer mon pèlerinage que demain au lever du jour; mais il est là, si voisin, surplombant presque de sa masse terrible mon logis frêle!

Quelques marches de granit à monter et m'y voici, dans une première galerie infiniment longue qui a l'intimidante sonorité des cavernes et qui en avait d'abord le silence, mais qui tout de suite s'emplit de bruissements...

C'est la galerie extérieure, celle qui forme un carré de deux cent cinquante mètres de côté et qui entoure, comme un somptueux chemin de ronde, tout l'enchevêtrement étage des constructions centrales... Les dalles y sont feutrées d'on ne sait quoi de mou qui s'écrase sous les pas en répandant une odeur de musc et de fiente. Et, aux bruissements de l'arrivée, s'ajoutent à présent des petits cris aigus qui se propagent devant nous dans ces lointains si obscurs...

La torche en passant me révèle, sur les parois d'un gris sombre, une mêlée inextricable de guerriers qui gesticulent avec fureur; tout le long du chemin, un bas-relief ininterrompu déroule à perte de vue des batailles, des combattants par milliers, des éléphants caparaçonnés, des monstres, des chars de guerre... Je ne prétends pas m'aventurer cette nuit dans le dangereux dédale du milieu, dans le temple proprement dit, mais au moins voudrais-je en faire le tour, par ces galeries si droites, qui semblent si faciles, et continuer de suivre jusqu'au bout le déroulement du bas-relief... Cependant ils me troublent, ces petits cris aigus qui se multiplient en concert, comme poussés par des milliers de rats, au-dessus de ma tête!... Et puis, là-haut, en guise de pierres de voûte, ne dirait-on pas un tremblotement d'étoffes noires?... Oh! les adorables créatures inscrites çà et là aux parois, sans doute pour reposer les yeux de la longue bataille: un lotus à la main, elles se tiennent deux par deux, ou trois par trois, calmes et souriantes sous leurs tiares archaïques. Et ce sont les Apsaras divines des théogonies hindoues. Avec amour, les artistes d'autrefois ont ciselé et poli leurs gorges de Vierges... Qui dira ce qu'est devenue la cendre des belles sur qui furent copiés ces torses parfaits?...

Horreur! voici que les voûtes s'abaissent vers nous, ou du moins les tremblotantes étoffes noires qui y paraissent suspendues!... Elles descendent à toucher nos cheveux, on sent le vent qu'elles font comme à grands coups d'éventail... Des corps poilus, agitant très vite de longues membranes chauves... Et c'était cela qui criait là-haut comme des rats... Nous sommes frôlés de toutes parts... D'énormes chauves-souris, en nuage, en avalanche, affolées, agressives!... Elles vont éteindre notre pauvre lumière falote. Sauve qui peut! Courons vers les portes... Ce temple, évidemment, ne veut pas qu'on le profane aux heures solennelles de la nuit.

Au dehors, paix soudaine, sérénité du ciel et splendeur des étoiles. Nous arrêtons notre course de fuite pour respirer délicieusement; il y a des jasmins qui embaument l'air, et la tranquille psalmodie des bonzes, après ces milliers de cris à nos oreilles, semble une musique exquise. Toutes ces figures tourmentées qui peuplaient les murailles et tous ces attouchements d'ailes affreuses!... De quel cauchemar nous venons de sortir!...

Du reste, c'est l'heure enchantée dans ces régions, l'heure où le brasier du soleil s'est éteint et où la rosée mauvaise n'a pas commencé de mouiller toutes choses. Dans l'immense clairière au milieu de laquelle trône le temple, et que défendent des fossés et des murs, on a une impression de sécurité parfaite, malgré l'ambiance et les grandes forêts. Les tigres ne franchissent point les ponts de pierre, bien que les portiques n'en soient plus jamais fermés; à part quelques singes curieux, toutes les bêtes des bois respectent le bocage enclos où des hommes habitent et chantent.

Et la grande avenue est là, qui s'en va devant moi, droite et sûre, blanchâtre dans la nuit, entre les touffes sombres des arbustes aux senteurs de jasmin et de tubéreuse; sans but, je me mets à cheminer doucement sur ses dalles, m'éloignant du temple, entendant de moins en moins le chant des bonzes qui par degrés se perd, derrière ma route, dans l'infini silence.

J'ai marché, marché, et voici les fossés aux lotus, avec le pont de sortie que gardent les serpents à sept têtes. La forêt, sur l'autre rive, dresse très haut son rideau noir; elle m'attire, avec son sommeil et son mystère. Sans y entrer, si j'allais seulement jusqu'à l'orée de ses futaies pleines de nuit où tant d'oreilles aux aguets doivent déjà m'entendre... Et je passe avec précaution le portique, m'assurant de chaque dalle où mon pied s'appuie comme à tâtons; en pareille obscurité, ce pont est imposant à franchir.

Mais il me semble que j'entends courir derrière moi à pas légers... Des hommes ou des singes?... Avant que j'aie eu le temps de me retourner, je me sens pris par la main, oh! très gentiment, et deux silhouettes humaines surgissent qui veulent me retenir. Tout de suite je les reconnais: deux de mes braves Siamois, conducteurs de bœufs; que me veulent-ils? Pour nous expliquer, nous ne savons aucun mot commun dans aucune langue. Mais ils me font signe que c'est téméraire d'aller plus loin: il y a des embûches, et il y a des bêtes avec des dents, qui mordent. Alors, soit, je me laisse ramener par eux.

Ils me conduisent en un coin d'élection où d'autres naïfs bouviers, également de mon cortège, sont étendus à fumer des cigarettes en prenant le frais. C'est sur le mur d'enceinte, bas et large, qui forme terrasse au-dessus des fossés de défense. Il paraît que je dois m'étendre aussi; sur le sol ce serait impossible, à cause de tous les venins sournois qui rampent dans l'herbe; mais, sur ces vieilles dalles bien nettes, on ne risque rien. L'un d'eux enlève le vêtement mince qui couvrait son torse de cuivre, le roule en peloton et en fait un oreiller pour ma tête; après quoi il faut allumer une de leurs cigarettes qui a je ne sais quelle agréable et anesthésiante odeur d'herbe brûlée. Nous ne pouvons pas causer, bien entendu; mais--sans doute parce que le silence, ici, a quelque chose de trop terrible--un des jeunes bouviers entonne en fausset très doux une petite chanson à dormir qui semble la plainte de quelque Esprit des ruines; rien qu'à l'écouter je me sens très loin, dans un pays d'inconnu et d'incompréhensible. Et de même les constellations, qui, au-dessus de ma tête renversée, scintillent sur le bleu noir de l'infini, me font à leur manière un permanent signal d'exil: la Grande Ourse, qui trônait à demeure dans nos nuits de France, semble avoir glissé dans le ciel; elle est presque tombée sous l'horizon, et, du côté inverse, je vois briller, très indicatrice, la Croix du Sud.

C'était, au premier abord, une sensation délicieuse de reposer ainsi, demi-nu, se confiant à la tiédeur égale et caressante d'une atmosphère qui ne peut à aucun moment se refroidir et où l'on sait que jamais ne se lèvera un souffle trop vif. Mais les instants de bien-être sont comptés en ces climats; autour de nous un petit susurrement, discret pour commencer, s'enfle de minute en minute et se généralise: les moustiques s'assemblent, ayant flairé de loin l'odeur inusitée de la chair. Et puis déjà la toile dont je suis vêtu s'amollit, s'imbibe d'humidité: l'éternelle mouillure de ces régions, qui avait fait trêve une heure ou deux, reparaît à présent sous forme de rosée. Nous sommes saupoudrés de gouttelettes d'eau; il faut revenir chercher un abri au pied du grand temple, dans le hameau des bonzes chanteurs, au hangar de pèlerins.

C'est sous ce hangar, et protégé par son petit autel à Bouddha, que je vais enfin m'endormir. Les pilotis m'éloignent du sol où courent les bêtes venimeuses, et une mousseline tendue est ma protection contre les bêtes qui volent. Autour de moi s'installent les bouviers jaunes de ma suite; comme ils n'ont pas de moustiquaire, il décident de se relayer pour entretenir jusqu'au matin, sous le plancher à claire-voie de notre logis, un grand feu d'herbes qui nous enveloppera tous d'un nuage protecteur. Et, bercé par les chants bouddhiques, je m'abîme bientôt dans le sommeil, au milieu d'une odorante fumée.

VIII

Vendredi, 29 novembre 1901.

Éveillé à l'aube, par le *crescendo* matinal des psalmodies. Il y a eu tant d'humidité, tant de rosée que, malgré le toit de chaume, tout est mouillé autour de moi et sur moi, comme après une averse.

A la quasi-fraîcheur de l'extrême matin, je monte à nouveau les premiers degrés du temple entre les rampes frustes, rongées par les pluies des siècles. Et, me souvenant des chauves-souris gardiennes, j'entre avec un excès de précautions, sans faire plus de bruit qu'un chat. Elles dorment toutes là-haut, mes ennemies d'hier au soir, la tête en bas, pendues par les griffes au plafond de pierre, et simulant à cette heure des myriades de petits sacs en velours sombre. Me voici dans la place sans qu'elles aient bougé, je reconnais la galerie, aux sonorités de caveau, que décore à perte de vue l'interminable bas-relief des batailles; cependant, comme elle se révèle cette fois d'ensemble, fuyant en perspective toute droite, elle me paraît encore plus infiniment longue; un demi-jour verdâtre remplace tout à coup ici la belle lumière qui naissait dehors; ainsi que dans les souterrains, on y sent une odeur de moisissure, mais que domine la puanteur musquée des fientes de chauves-souris, déposées en couche sur le sol, comme si, de la voûte, il pleuvait constamment des graines brunes.

Pour éclairer le déploiement du bas-relief, qui couvre toute la paroi intérieure de la galerie, des fenêtres de distance en distance ouvrent sur le bocage d'alentour, donnant une lumière atténuée que verdissent les feuillages et les palmes. Très somptueuses fenêtres d'ailleurs: elles s'encadrent de si délicates ciselures que l'on croirait des dentelles plaquées sur la pierre, et elles ont des barreaux annelés qui semblent des colonnettes de bois, précieusement travaillées au tour, mais qui sont en grès, comme le reste des murailles.

Ce bas-relief, qui prolonge sa mêlée de personnages, sur une longueur d'un kilomètre, aux quatre faces du temple, s'inspire de l'une des plus antiques épopées conçues par les hommes d'Asie,--ces Aryens nos ancêtres.

«Jadis, à l'âge appelé Kuta, vivaient les fils de Kyacyapa, qui étaient d'une force et d'une beauté surhumaines. Deux sœurs leur avaient donné le jour, Diti et Aditi. Mais les fils d'Aditi étaient dieux, tandis que les fils de Diti étaient démons.

»Un jour qu'ils s'étaient réunis en conseil pour chercher un moyen de se soustraire à la vieillesse et à la mort, ils décidèrent de cueillir toutes ces plantes des bois que l'on nomme des simples, de les jeter dans la mer de lait, et ensuite de baratter la mer; il en résulterait un magique breuvage qui vaincrait la mort et les rendrait à jamais vigoureux et beaux.

»Ils firent donc une baratte avec une montagne, une corde avec le grand serpent sacré Vasouki, et se mirent à baratter sans trêve.

»Bientôt, des eaux remuées, sortirent les Apsaras, danseuses et courtisanes célestes qui étaient d'une incomparable beauté. Elles devinrent les femmes des demi-dieux Gandharwas et donnèrent naissance à la race des singes.

»Ensuite sortit en personne la belle Varouni, fille de l'Océan, que les fils d'Aditi prirent pour épouse. Enfin, à la surface de la mer, on vit se former le breuvage merveilleux qui devait triompher de la mort. Mais, pour le posséder, une guerre d'extermination commença entre les fils de Diti et les fils d'Aditi. Et les fils d'Aditi furent les vainqueurs.»

Tel est le thème résumé du Ramayana, cette légende ancestrale venue jusqu'à nous grâce au pieux Valmiki, saint ermite de la montagne qui a pris soin, dans la nuit des temps, de la transcrire et de la fixer en un poème de vingt-cinq mille distiques.

Le barattement de la mer de lait occupe à lui seul un panneau de plus de cinquante mètres de long. Viennent ensuite les batailles des démons et des dieux, ou celles des singes contre les mauvais esprits de l'île de Ceylan qui avaient enlevé à Rama la belle Sita son épouse.

Tous ces tableaux, qui jadis étaient peints et dorés, ont pris, sous les suintements de l'humidité éternelle, une triste couleur noirâtre avec, par places, des luisances de chose mouillée. En outre, jusqu'à portée humaine, le bas-relief (qui a cinq mètres de haut) est usé par le frottement séculaire des doigts,--car, aux époques de pèlerinage, toute la multitude se fait un devoir de le toucher. Çà et là, dans les parties qu'éclairent les belles fenêtres aux colonnes torses, on voit encore des traces de coloriage sur les vêtements ou les figures; et, parfois, aux tiares des Apsâras, un peu d'or épargné par le temps continue de briller. En m'avançant, je ne cesse d'épier là-haut les gardiennes veloutées; les dalles sonnent creux, et, quand mon pas fait trop de bruit, quelques paires de membranes chauves se déplient; une chauve-souris s'étire, en éveille une autre, et un remuement commence; alors je m'immobilise, comme pétrifié, jusqu'à ce que tout se rendorme.

Ce qui est incompréhensible, c'est que la muraille à personnages semble d'un seul morceau sur des centaines de mètres de longueur; il faut regarder de tout près pour découvrir les jointures des pierres énormes qui ont été mises à la file sans le secours d'aucun ciment et ajustées avec une précision rigoureuse, comme dans les monuments de l'antiquité égyptienne.

Au milieu de chaque face du quadrilatère, un portique s'ouvre dans ce chemin de ronde et donne accès à la cour centrale où s'élève la pagode proprement dite, le prodigieux amas de grès sculpté escaladant le ciel bleu. Là, j'hésite à pénétrer, intimidé peut-être, ou fatigué d'avance, par un tel enchevêtrement d'escaliers, de terrasses et de tours, par une telle complication de lignes, une telle lourdeur dans le silencieux ensemble. Plutôt que d'entrer, je m'attarde encore à suivre le bas-relief du pourtour.

Dans la galerie du quatrième côté, rencontre de deux enfants-bonzes,--robe jaune citron et draperie jaune orange. Que viennent-ils faire là avec une brouette, une pelle et un balai? Ah! tout bonnement ramasser de la fiente de chauve-souris pour fumer quelque petit jardin monacal. Et combien de milliards d'insectes mangés en l'air représentent ces tas de graines brunes, dans leur brouette, qui vont servir à féconder des fleurs, lesquelles nourriront d'autres insectes, lesquels seront mangés par d'autres chauves-souris!

Mais ils commencent à faire trop de bruit, ces jeunes bonzes--quoiqu'ils en fassent à peine--car, là-haut, les dormeuses de velours s'éveillent.

Pour éviter leurs ailes chauves, par l'un des portiques je me jette décidément dans la cour centrale. Et, ainsi, après avoir tourné longtemps autour du chaos embroussaillé des sanctuaires, j'y aborde enfin, avec brusquerie, d'un élan de fuite.

C'est à un instant où la lumière baisse tout à coup, comme si le soleil subissait quelque grande éclipse. Au-dessus des amas de terrasses, de portiques et d'escaliers, qu'enchevêtrent des verdures fougueuses, les nuages viennent d'étendre soudain une voûte de ténèbres; une pluie diluvienne va encore se déverser sur ces ruines. Et toutes les bêtes qui habitent là sous les feuillées ou dans les trous des murailles font silence, attentives à ce qui va tomber.

Ce temple est un des lieux du monde où les hommes ont entassé le plus de pierres, accumulé le plus de sculptures, d'ornements, de rinceaux, de fleurs et de visages. Ce n'est pas simple comme les belles lignes de Thèbes ou de Baalbeck. C'est déroutant de complication aussi bien que d'énormité. Des monstres gardent tous les perrons, toutes les entrées; les divines Apsâras, en groupes répétés indéfiniment, se montrent partout entre les lianes retombantes. Et, à première vue, rien ne se démêle; on ne perçoit que désordre et profusion dans cette colline de blocs ciselés, au faîte de laquelle ont jailli les grandes tours.

Mais, dès que l'on observe un peu, une symétrie parfaite s'affirme au contraire du haut en bas. La colline de sculptures forme une pyramide carrée, à trois gradins, dont la base a plus d'un kilomètre de pourtour, et c'est sur le troisième de ces gradins, tout en haut, que se trouve sans doute le lieu saint par excellence. Il faut donc monter--je m'y attendais--monter, par des marches roides et déjetées, entre les Apsâras souriantes, les lions accroupis, les serpents sacrés étalant comme un éventail leurs sept têtes, et les verdures languides qu'aucun souffle en ce moment ne remue, monter en hâte, pour avoir le temps d'arriver avant que l'ondée commence. En venant ici, ce matin, j'avais prévu que cette ascension se ferait sous le soleil et le ciel bleu, avec des souffles d'air agitant les branches, avec partout des bruits d'oiseaux, d'insectes ou de reptiles en fuite devant mes pas. Mais ces mornes immobilités m'intimident; je n'étais pas préparé à ce silence d'attente, ni à ce ciel noir... Non, mon arrivée n'éveille aucun mouvement, aucun bruit, et même je ne perçois plus qu'à peine, au lointain, le chant de ces bonzes qui psalmodient sans trêve aux pieds du temple.

Cependant me voici sur la première des trois plates-formes. Et là se dresse devant moi le second étage, *d'une hauteur double de celle du premier*, m'offrant des escaliers plus abrupts, plus gardés par des sourires ou des rictus de pierre. Il est entouré sur ses quatre faces d'une galerie voûtée, sorte de cloître immense et pompeusement superbe, avec cet excès de ciselures, ces portiques trop couronnés d'étranges frontons, avec ces fenêtres trop étroites dont les barreaux de grès, déjà trop massifs, se rapprochent comme pour mieux vous emprisonner. Délabrement extrême partout. A l'intérieur, décoration plus simple que dans les couloirs d'en bas; il y fait humide, sombre, et on y sent une intolérable odeur de chauve-souris: elles garnissent la voûte, ces dormeuses suspendues!... A cette hauteur, on n'entend plus rien de la litanie des bonzes, et le silence est si profond que l'on ose à peine marcher.

Seconde plate-forme entourée comme la première de son cloître aux façades aussi ouvragées que les plus patientes broderies. Là, on aurait le droit de se croire presque arrivé; mais voici que le troisième étage surgit, *d'une hauteur double de celle du second*, et le monumental escalier qui y mène, avec ses marches usées où l'herbe pousse, est roide à donner le vertige; les dieux sans doute veulent se faire plus inaccessibles à mesure que l'on essaie de s'en rapprocher. Vraiment on dirait que le temple grandit, s'allonge, s'étire vers le ciel obscur, et c'est un peu comme dans ces rêves fatigants où l'on s'acharne vers un but qui s'enfuit... Il doit y en avoir quatre, de ces escaliers que les Apsâras surveillent, un sur chacune des faces de l'énorme piédestal; mais je n'ai pas le temps de choisir le meilleur, car l'ombre des nuages s'épaissit toujours et l'ondée est proche. Je monte, en courant presque, et la forêt, la forêt souveraine, semble monter en même temps que moi; elle commence à déployer de toutes parts son cercle à l'horizon comme une mer.

Troisième plate-forme carrée, ayant de même son cloître de bordure, aux façades ciselées plus magnifiquement encore. En haut-relief sur les murailles, toujours les Apsâras qui se tiennent par groupes, m'accueillant avec des sourires de moquerie discrète, les yeux à demi clos. A cet étage supérieur, où j'atteins la base des grandes tours et les portes mêmes du sanctuaire, je dois être à plus de trente mètres au-dessus des plaines. Maintenant l'illusion se fait inverse: il me semblerait plutôt que c'est le temple qui vient de s'affaisser dans la forêt; à le voir d'ici, on le dirait submergé, noyé au milieu de la verdure; au-dessous de moi, trois assises graduées de cloîtres, des portiques à haute couronne, des voûtes somptueuses, à peine infléchies par les siècles, ont comme plongé dans les arbres, dans la muette étendue des arbres dont les cimes, au loin et à perte de vue, simulent des ondulations de houle...

La pluie! Quelques premières gouttes, étonnamment larges et pesantes, pour avertir. Et puis, tout de suite, le tambourinement général sur les feuilles, des torrents d'eau qui s'abattent en fureur. Alors, par un portique, dont le fronton surchargé imite des flammes et des cornes, j'entre en courant m'abriter enfin dans ce qui doit être le sanctuaire même.

J'attendais une salle immense où je serais seul, et ce n'est encore qu'une galerie infiniment longue, mais étroite, oppressante, sinistre,--où je frémis presque de rencontrer, dans le demi-jour de l'averse et des fenêtres trop grillées, beaucoup de monde immobile, du monde mangé par les vers, des dieux-cadavres, des dieux-fantômes, assis ou effondrés le long des parois.

La plupart ont la taille humaine, mais quelques-uns sont géants, et d'autres sont nains; il y en a d'un gris terreux, il y en a d'une rougeur sanguinolente, et çà et là des dorures, comme aux masques des momies, brillent encore sur certains visages; beaucoup n'ont plus de mains, plus de bras, plus de tête, et un amas de fiente de chauve-souris enfle leur dos, déforme leurs épaules... Oh! Dès qu'on lève les yeux, quel dégoût! Ici, plus encore qu'en bas, elles tapissent entièrement les plafonds de pierre, ces petites pochettes en velours qui pendent accrochées par des griffes et que le moindre bruit déplierait toutes pour en faire un tourbillon d'ailes... Intérieurement les épaisses parois noirâtres, dépourvues de tout dessin, disparaissent à moitié sous de fines draperies, comme des crêpes funéraires, qui sont l'œuvre d'araignées innombrables. Au dehors, on entend l'averse qui fait rage, tout est inondé, tout ruisselle en cascades. On respire de la vapeur chaude, à la fois fétide et musquée. Dans cette longue galerie, on se sent trop enfermé par le rapprochement des murailles aussi bien que par l'énormité des fuseaux de grès masquant les ouvertures;--et cependant le cercle de l'horizon, aperçu entre ces barreaux des fenêtres, maintient la notion de l'altitude: on n'oublie pas que l'on domine, du haut de cette sorte de prison aérienne, l'infini de la forêt mouillée.

Le voilà donc ce sanctuaire qui hantait jadis mon imagination d'enfant et où je ne suis monté qu'après tant de courses par le monde, quand c'est déjà le soir de ma vie errante! Il me fait lugubre accueil; je ne m'étais pas représenté ces torrents de pluie, cet enfermement parmi les toiles d'araignée, ni ma solitude de cette heure au milieu de tant de dieux-fantômes. Il y a surtout un personnage là-bas, rougeâtre comme un cadavre écorché, dont les pieds s'émiettent de vermoulure et qui, pour ne pas choir encore, s'appuie de travers contre la muraille, renversant à demi son visage aux lèvres rongées: c'est de lui, semble-t-il, qu'émanent tout le silence et toute l'indicible tristesse du lieu.

Prisonnier là tant que va durer l'orage, d'abord je m'approche d'une fenêtre, instinctivement, pour chercher plus d'air, échapper à l'odeur des chauves-souris. Et, entre les rigides barreaux fuselés, je regarde dévaler au-dessous de moi la masse architecturale que je viens de gravir. Aux flancs des ruines, toutes les verdures fléchissent et tremblent, accablées par le tumultueux arrosage; les légions d'Apsâras, les grands serpents sacrés et les monstres accroupis aux seuils d'escaliers, semblent courber la tête sous le déluge quotidien qui, depuis des saisons sans nombre, les use à force de les laver. On entend de plus en plus l'eau crépiter, fuir par mille ruisseaux.

Pour discerner le plan d'ensemble de cette troisième et plus haute plate-forme, il faudrait pouvoir sortir; mais la lumière continue de baisser, comme si c'était le crépuscule au lieu du matin, l'horizon des forêts s'embrume tout à fait sous les rideaux plus opaques de la pluie,--donc cela durera bien une heure. Force m'est de rester à l'abri, et, dans cette persistante pénombre d'éclipse, me sentant suivi par les sourires cadavéreux de toute cette assemblée de Bouddhas qui me regardent, je m'avance vers ce qui doit être le centre et le cœur même d'Angkor-Vat.

Je marche doucement sur les couches de poussière et de fiente semées de plumes de hibou. Les grosses araignées velues, qui ont tissé les multiples draperies, se tiennent immobiles et au guet.

En plus de ce qui tombe sans cesse de la voûte, des petits tas de fleurs flétries et d'encens brûlé s'élèvent devant toutes les idoles, attestant qu'on les vénère toujours. Pourquoi cependant ne pas les épousseter un peu quand on vient leur faire visite? Et puis, dans quel désordre on les a laissées! Les petites, les grandes, les colossales, pêle-mêle comme après une déroute. A l'époque indéterminée du sac de la ville et du pillage du temple, on a dû les renverser toutes et les traîner à terre. Plus tard, la piété des Siamois les a remises debout, autant que possible, mais en groupement quelconque le long des murailles, celles en grès dur ou celles en bois vermoulu qui s'émiettent au moindre contact, celles qui n'ont plus de couleur, ou celles qui ont encore des robes rouges et des visages dorés. (Et, de crainte d'en oublier une seule dans leurs hommages, les pèlerins qui viennent ici passent des heures, paraît-il, à parcourir les galeries sans fin où elles reposent.) Statues bouddhiques, déjà plusieurs fois centenaires, elles furent cependant des nouvelles venues, des intruses toutes neuves dans ce temple d'un culte beaucoup plus ancien; mais, après avoir supplanté les images de Brahma, dieu primitif d'Angkor, les voici qui tombent à leur tour, détruites par le temps.

Les dalles sont assez feutrées d'immondices et de cendre pour assourdir mon pas, et, sans que les milliers de petites oreilles m'entendent là-haut, je puis m'acheminer vers le fond plus obscur de la galerie, entre les deux rangs de personnages muets. Ce fond, c'était jadis le Saint des Saints, le lieu où devait trôner le Brahma suprême; mais il a été muré en des temps que l'on ne sait plus.

Et, devant ce mur--qui sans doute enferme encore l'idole terrible et peut-être la conserve aussi intacte qu'une momie dans son sarcophage--un Bouddha très gigantesque, dominateur et doux, est venu depuis des siècles s'asseoir, croisant les jambes et fermant à demi ses yeux baissés; depuis tant de siècles que les araignées l'ont patiemment drapé de mousselines noires pour éteindre ses dorures et que les chauves-souris ont eu le temps d'amonceler sur lui leur fiente en épais manteau. La peuplade des horribles petites bêtes somnolentes forme à cette heure au-dessus de son front comme un dais capitonné de peluche brune, et la pluie, qui s'obstine à ruisseler dehors, lui joue sa plaintive musique de chaque jour. Mais son visage penché, que je distingue malgré l'ombre, conserve ce même sourire qui se retrouve sur toutes les images de Lui, depuis le Thibet jusqu'à la Chine: le sourire de la Grande Paix, obtenue par le Grand Renoncement et la Grande Pitié.

Le soir, quand je remonte au temple, après avoir dormi en bas, à ses pieds, dans le hangar des pèlerins, pendant les heures trop brûlantes, le soir, on n'imaginerait jamais qu'il a plu à torrents toute la matinée. Au ciel, c'est une splendeur bleue que l'on croirait immuable; la terre a eu vite fait de boire l'eau surabondante; le soleil torride a séché les arbres de la forêt et les verdures qui s'accrochent aux ruines. Tout est lumineux, calme et chaud, bien plus encore que dans nos plus belles journées d'été. Les Apsâras, les monstres, les bas-reliefs à demi effacés, les amas de grandes pierres défuntes, baignent à présent dans une sorte d'ironique et morne magnificence. Et les milliers de petits envahisseurs du sanctuaire, ceux qui volent, ceux qui courent ou ceux qui rampent, viennent de se remettre à butiner après s'être cachés pendant l'averse; on entend bruire partout des serpents, des lézards, chanter des tourterelles et des oiselets, miauler des chats sauvages; de larges papillons se promènent, semblables à des découpures de soie précieuse, et des mouches par myriades, en corselet de velours ou d'or vert, mêlent à la psalmodie des bonzes leur murmure comme un bourdonnement de cloches lointaines. Seules, les chauves-souris, les obsédantes chauves-souris, principales maîtresses d'Angkor-Vat, dorment toujours à l'ombre perpétuelle, collées sous les voûtes des cloîtres.

Avec le temps et l'abandon, chacune des assises superposées du temple est devenue une sorte de jardin suspendu où les immenses feuilles des bananiers se mêlent aux touffes blanches d'un jasmin très odorant, fleuri en bouquets. Tout cela et mille autres plantes exotiques et de longues herbes folles, tout cela, après avoir fait semblant de mourir sous les coups de fouet de la pluie, s'est relevé plus vigoureux et d'une fraîcheur plus éclatante, parmi la décrépitude des pierres.

Sans me presser cette fois, puisque aucun nuage ne menace, je monte les degrés ardus qui conduisent en haut chez les dieux! Oh! les gracieuses et exquises ciselures jetées à profusion partout! Ces enroulements, ces feuillages, ces rinceaux--comment s'expliquer cela?--ils ressemblent à ceux qui apparurent chez nous à l'époque de François Ier et des Médicis; pour un peu l'on serait tenté de croire, s'il n'y avait impossibilité, que les artistes de notre Renaissance seraient venus chercher leurs modèles sur ces murailles,--qui, de leurs jours cependant, dormaient déjà depuis trois ou quatre centenaires au milieu de forêts tout à fait insoupçonnées de l'Europe.

Je monte sans hâte, éclairé par un soleil d'éblouissement et de mort. Oh! combien de symboles effroyables, échelonnés sur cette pénible route ascendante! Partout des monstres, des combats de monstres; partout le Naga sacré, traînant sur les rampes son long corps onduleux, et puis dressant en épouvantail ses sept têtes vipérines! Les Apsâras, qu'elles sont jolies et souriantes sous leurs coiffures de déesses, avec pourtant toujours cette expression de sous-entendu et de mystère qui ne rassure pas... Très parées, ayant des bracelets, des colliers, des bandeaux de pierreries, de hautes tiares pointues ou des touffes de plumes, elles tiennent entre leurs doigts délicats, tantôt une fleur de lotus, tantôt d'énigmatiques emblèmes; toutes celles que l'on peut atteindre en passant ont été si souvent caressées, au cours des siècles, que leurs belles gorges nues luisent comme sous un vernis,--et ce sont les femmes qui, pendant les pèlerinages, les touchent passionnément pour obtenir d'elles la grâce de devenir mères. Dans leurs niches brodées de ciselures, elles demeurent adorables. Quel dommage que leurs pieds les déparent, toujours énormes, comme aux bas-reliefs de l'Égypte, et toujours inscrits de profil quand les jambes sont de face; mais aussi ils commandent la méditation recueillie, ces pieds si maladroits, en attestant que les belles déesses furent l'œuvre d'une humanité très primitive dont l'art se débattait encore contre les difficultés du dessin, contre l'incompréhension du raccourci. Ce qu'en outre ils ignoraient, les fastueux architectes d'Angkor-Vat, c'est la grande voûte développée; les ancêtres ne leur avaient appris que celle qui se fait en encorbellement et qui, par suite, reste étroite et lourde. Aussi n'ont-ils pu construire que des galeries étouffantes, superposer des cloîtres et des cloîtres, étager des gradins massifs, amonceler des blocs par-dessus des blocs. Et ce temple est sans doute, avec celui du Bayon effondré dans la forêt proche, la plus pesante montagne de pierres que les hommes aient osé entreprendre, depuis les pyramides de Memphis.

Après chaque assise franchie, on a le répit d'un instant à l'ombre, dans l'humidité chaude du cloître de bordure.

Mais un soleil de feu darde sur le dernier escalier, deux fois plus haut que le précédent, et le plus roide de tous, celui qui mène à la plate-forme extrême et paraît grimper au ciel. En vérité, ce doublement progressif des hauteurs, d'un étage à l'autre, est une trouvaille architecturale pour agrandir le temple par une illusion à laquelle on n'échappe pas; je l'éprouve ce soir, de même que je l'avais éprouvée ce matin sous les nuages sombres: c'est comme si la demeure des dieux, à mesure que l'on s'approche, vous fuyait en s'élevant dans les airs.

Elle est voulue aussi, et très habilement religieuse, cette décroissance successive de la décoration intérieure, plus on avance vers le Saint des Saints; j'avais déjà remarqué l'emploi de moyens pareils dans des temples brahmaniques de l'Inde,--en particulier dans ceux d'Ellora, où, après une débauche de sculptures le long des galeries basses, on finit par trouver le symbole suprême au fond d'une salle farouche aux parois grossières et nues; le lieu que le Divin habite ne devant plus rien contenir qui puisse détourner les visiteurs de l'adoration et de l'effroi.

Arrivé de nouveau jusqu'à la dernière des terrasses successives, je retrouve une galerie d'idoles-fantômes, comme celle où je m'étais réfugié pendant l'averse, et conduisant dans l'ombre à une porte scellée de pierres devant laquelle aussi un grand Bouddha, très doux, siège en veilleur. *Mais ce n'est pas la même galerie que ce matin*; je ne reconnais pas les personnages aux figures mangées qui l'habitent, et, du reste, j'y suis venu par des escaliers, des portiques différents.

Le soleil de cinq heures en ce moment rayonne dans ses ors un peu rougis du soir. Plus aucune trace du déluge de la matinée. Je puis me rendre compte maintenant que, sur cette plate-forme du sommet, il y a quatre galeries identiques, aussi longues, aussi peuplées d'hôtes funèbres, tendues des mêmes toiles d'araignées noires et ouatées au plafond des mêmes chauves-souris dormantes. Toutes les quatre forment une croix à branches égales et viennent aboutir au Saint des Saints qui marque le centre du temple-montagne. Mais, après une telle prodigalité d'ornementation dans les cloîtres d'en bas, ces plus hautes nefs--si brodées pourtant au dehors--ne présentent, à l'intérieur, que des piliers carrés à peine dégrossis, que des murailles rudes et frustes: c'est que l'on devait y entrer seulement pour la prière, après s'être dégagé l'esprit de tous les mirages de ce monde; elles étaient les seuils de l'Invisible et de l'Inexprimable, il n'y fallait donc plus rien pour rappeler nos vanités, nos luxes terrestres; et, dans leurs profondeurs obscures, derrière les pareils Bouddhas géants, leurs pareilles portes, aujourd'hui murées, ferment les quatre faces du réduit suprême,--où peut-être l'âme du vieux temple subsiste encore, ensevelie avec les quatre Brahmas terribles.

L'une de ces tours colossales à profil de tiare, qui apparaissent de si loin dans la plaine, s'élève au bout de chaque branche de la croix formée par les quatre nefs, et, au-dessus du Saint des Saints où ces nefs se rejoignent, une cinquième tour encore, la plus étonnante et la plus compliquée, surpassant toutes les autres, domine d'une hauteur d'environ soixante-dix mètres l'épais linceul vert de la forêt. D'après un lettré chinois, qui visita ce mystérieux empire à la veille de son déclin, vers le treizième siècle, et qui nous a laissé les seuls documents connus sur sa splendeur, cette tour centrale était couronnée d'un lotus d'or, si grand, que, de tous les points de la ville aujourd'hui ensevelie, on voyait briller en l'air sa fleur sacrée.

Dans la forêt qui m'entoure et qui, sous le ciel pur de ce soir, se précise nettement jusqu'au cercle de l'horizon, je n'avais pas remarqué ce matin quelques arbres à feuillage annuel, çà et là, qui sont jaunis ou dépouillés parce que décembre commence... C'est qu'en effet, pour venir ici, j'ai marché vers le Nord pendant trois ou quatre jours: ce pays donc n'est déjà plus absolument celui de l'immuable verdure, comme était la Cochinchine d'où j'arrive. Et malgré cette puissante chaleur tranquille, une impression inattendue d'automne, d'effeuillement comme dans les forêts de chez nous, vient augmenter pour moi tout à coup la mélancolie sans nom de ces ruines.

Je croyais être bien seul à errer jusqu'à la nuit dans les galeries hautes. Mais--tandis que je suivais des yeux, entre les massifs barreaux d'une fenêtre, le soleil qui, avant de s'éteindre, incendiait tout--des gens, derrière moi, arrivent à pas craintifs et veloutés, des vieillards portant barbiche blanche... Leurs costumes indiquent des pèlerins de la Birmanie. Devant chaque Bouddha ils font un salut, déposent une fleur et allument une baguette d'encens. Même aux plus informes débris tombés sur les dalles, ils adressent en passant une révérence, et, chaque fois que le lambeau est encore un peu reconnaissable--un bras, un torse vermoulu, une tête sans corps--ils s'arrêtent pour planter auprès, entre les joints du pavage, une de leurs baguettes allumées. Une fois de plus, donc, l'air fade et moisi, dans lequel ces figures ou ces vestiges achèvent de retourner à la poussière, s'emplit pour un moment d'une suave odeur.

L'un des pèlerins cependant, le chef de la bande, dit quelque chose qui doit signifier: «Hâtons-nous, la nuit approche et nous prendrait dans les ruines.» Alors, ils brusquent leurs dévotions, esquissent des révérences plus courtes; arrivés devant le grand Bouddha qui, au fond de la galerie, défend le sanctuaire muré, ils choisissent les places où la dorure de ses jambes est le plus éteinte, et, avec soin, ils y appliquent des feuilles d'or qu'ils tirent d'un portefeuille. Après quoi ils s'en vont; j'entends se perdre le bruit de leurs pas discrets qui redescendent les roides escaliers de pierre.

Leur départ a rendu tout à coup la solitude plus imposante et semble faire baisser plus vite le jour. D'ailleurs la plongée du soleil est si verticale et si rapide en ces régions presque sans crépuscule!

Déjà l'ombre envahit au-dessous de moi la masse architecturale, que je regarde comme à vol d'oiseau, et aussi toute l'étendue de la forêt enveloppante où bientôt vont s'ouvrir, innombrables, les yeux des bêtes nocturnes. Seules, deux tours, qui se dressent là dans mon voisinage, resplendissent encore comme des braises vives; les rayons rouges éclairent en apothéose leur architecture inconnue, qui n'est ni hindoue ni chinoise, qui ne ressemble à celle d'aucun autre pays de la terre; si les ornements des murailles, les rinceaux et les feuillages rappelaient notre Renaissance européenne, ces tours, au contraire, sont d'une étrangeté frappante: conception d'une race à part qui a jeté un vif éclat dans ce coin du monde, et puis qui a disparu sans retour. On dirait un peu des gerbes de tuyaux d'orgue au-dessus desquels on aurait posé, par rangs de taille, des couronnes à fleurons; il s'y mêle aussi des Apsâras, des dieux très bizarrement nimbés, des groupes de monstres. Dans le ciel, qui déjà change et tourne aux grisailles crépusculaires, tout cela reste éclatant pour quelques secondes encore: c'est du métal rougi au feu, ce sont les tours brûlantes d'on ne sait quel palais magique...

Jadis, à la place de cette mer de verdure, silencieuse à mes pieds, la ville d'Angkor-Thôm (Angkor-la-Grande) s'étendait au loin dans la plaine; il suffirait d'élaguer les branches touffues pour voir encore là-dessous reparaître des murailles, des terrasses, des temples, et se développer les longues avenues dallées que bordaient tant de divinités, de serpents à sept têtes, de clochetons, de balustres, effondrés aujourd'hui dans la brousse. La forêt profonde, la voilà redevenue ce qu'elle avait été depuis le commencement des âges, pendant des siècles incalculables; on n'y reconnaît plus l'œuvre de ces aventuriers hindous qui, environ trois cents ans avant notre ère, étaient venus y jeter la cognée, y déblayer l'espace d'une ville de près d'un million d'âmes; non, cela n'a duré qu'un millénaire et demi, cet épisode de l'empire des Khmers, autant dire une bien négligeable période, en comparaison des longévités du règne végétal; et c'est fini, la cicatrice s'est refermée, il n'y paraît rien; le figuier des ruines étale partout ses dômes de feuilles vertes.

De nos jours, il est vrai, d'autres aventuriers, venus d'un pays plus à l'Occident (le pays de France), troublent quelque peu la forêt éternelle, car ils ont fondé non loin d'ici un semblant de petit empire. Mais ce nouvel épisode manquera de grandeur, et surtout manquera de durée; bientôt, lorsque ces pâles conquérants auront laissé encore, dans la terre indo-chinoise, beaucoup des leurs--hélas! beaucoup de pauvres jeunes soldats irresponsables de l'absurde équipée--ils devront plier bagage et fuir; alors on ne verra plus guère dans cette région errer, comme je le fais, ces hommes de race blanche qui convoitent si follement de régir l'immémoriale Asie et d'y déranger toutes choses...

Les deux fantastiques donjons, quasi incandescents, que je regardais de cette fenêtre, se refroidissent singulièrement vite; se refroidissent par leur base, sans doute parce qu'elle plonge dans le temple, lequel plonge dans l'humide fouillis des arbres. Il n'y reste plus de feu rouge qu'à la pointe extrême, du feu qui tout de suite passe au violet et achève de s'éteindre.

La lumière de l'immense décor se meurt comme celle d'une lampe sur laquelle on a soufflé, et la forêt est déjà pleine d'ombre sous un ciel cendré où des phosphorescences jaunes et vertes indiquent seules le côté du couchant. Les Bouddhas autour de moi commencent à m'inquiéter; je crois qu'ils s'amusent à enfler davantage les épaules sous ces couches de fiente brune, qui les déforment comme de trop grosses pèlerines en fourrure.

Les ruines s'enveloppent d'une majesté soudaine, tellement que je me sens profanateur d'être encore là. Et puis, une épouvante inconnue sort des recoins les plus assombris où ces géants au dos voûté, ces nains bossus, prennent tout à fait l'air de fantômes; elle sort lentement, la sournoise épouvante; dans la galerie, elle se traîne comme une onde paresseuse vers la fenêtre où j'étais; mais je devine qu'elle va emplir le temple et que je n'y échapperai pas. Du reste, il faut s'en aller, descendre, pour ne pas être surpris par l'obscurité au milieu des escaliers aux marches glissantes entravées de lianes. Et, au-dessus de ma tête, voici des petits cris de rat qui se répondent le long des plafonds de grès sonore; c'est l'heure où toutes les membranes chauves vont se déplier pour danser la ronde en vertige autour du vieux sanctuaire, reprendre le tourbillonnement général de chaque soir, la grande chasse, le grand massacre des moucherons et des phalènes.

IX

Samedi, 30 novembre 1901.

Il y a eu déluge encore cette nuit de deux heures à quatre heures du matin et, bien que le chaume du toit nous ait fidèlement garantis, l'air est si imprégné d'eau que nous nous éveillons mouillés comme par l'averse même.

Cependant le jour se lève dans une pure splendeur; le ciel tout bleu ne se souvient plus de rien. Je fais donc atteler nos sautillantes petites charrettes, pour retourner dans la forêt et visiter ce temple du Bayon, que je n'ai fait qu'entrevoir avant-hier sous le pluvieux crépuscule.

Le soleil surgit à peine quand nous sortons du bocage enclos pour nous enfoncer, au trot de nos bœufs, dans la futaie profonde. Tout de suite l'ombre verte s'étend sur nos têtes et il se fait autour de nous un grand tapage d'oiseaux ou d'insectes en délire de joie matinale. Le long du sentier, au-dessus des impénétrables fourrés pleins de fougères, de cycas, d'orchidées, les arbres s'élancent gigantesques. Il en est de meurtris par les hommes--pourtant bien rares par ici et bien furtifs--qui les ont entaillés afin de recueillir, dans des pots en terre, je ne sais quelle essence précieuse, à la manière dont les Landais chez nous recueillent la résine de leurs pins. Il y en a d'autres dont le tronc est tout égratigné, jusqu'à deux mètres de haut, tout labouré de déchirures cruelles; et ce sont ceux que les tigres, maniaques autant que les chats, ont adoptés pour s'y étirer les pattes et s'y dégourdir les griffes, en se réveillant le soir après la longue sieste du jour.

Il fait déjà intolérablement chaud, d'une chaleur humide et malsaine, saturée des exhalaisons de la terre grasse et des plantes fougueuses. Dans les rais de soleil qui çà et là traversent les feuillées, on voit des insectes danser en rond, et leurs petits corps à reflets de métal jettent des feux. Les moustiques, porteurs de la fièvre, tourbillonnent partout, en nuages de fine poussière. Des papillons, au corps trop léger pour leurs longues ailes de soie, volent à la dérive, comme s'ils étaient le jouet du moindre souffle, puis vont s'abattre sur quelque singulière fleur d'ombre, aux nuances pâlies. Et tant d'oiseaux, qui s'enfuient devant nous, semblent des fusées bleues ou rouges, que nous lancerions au passage dans cette demi-obscurité de dessous bois.

Au bout d'une heure à peu près, la muraille à créneaux de la ténébreuse ville d'Angkor-Thôm est là devant nous, sans que la voûte des arbres en soit interrompue, et nous mettons pied à terre, toujours dans la nuit verte, devant cette Porte de la Victoire au-dessus de laquelle sourit un colossal visage humain à chevelure de lianes.

Les remparts franchis, c'est par les sentiers plus vagues, à travers la brousse plus épaisse, que nous continuons de nous avancer.

Une demi-heure de marche environ, dans cette forêt semée de débris, qui est le linceul d'une ville et où chaque pierre porte la trace d'une antique sculpture, où des cailloux que l'on ramasse dans l'herbe représentent un masque humain. Et puis nous voici en présence d'un informe amas de rochers, d'une sorte de montagne sur laquelle les figuiers des ruines déploient superbement leurs grands parasols verts: c'est là. Ces rochers furent érigés jadis par la main des hommes; ils sont factices, ils sont les restes de l'un des plus prodigieux temples du monde.

La destruction en est stupéfiante; comment ces masses ont-elles pu se déjeter ainsi, se pencher, crouler, se confondre en chaos? Il y a des tours qui semblent avoir glissé d'un seul bloc; tout d'une pièce, elles sont descendues de leurs soubassements. Et les lourdes terrasses ont fléchi. Et le sol a monté alentour; l'humus, au cours des siècles, a commencé d'escalader les larges escaliers pour essayer de tout engloutir.

Les grandes figures de Brahma, «des vieilles dames débonnaires», si sournoises et peu rassurantes l'autre soir dans le crépuscule, je les retrouve là partout au-dessus de ma tête, avec ces sourires qui tombent sur moi, d'entre les fougères et les racines. Elles sont bien plus nombreuses que je croyais; jusque sur les tours les plus lointaines, j'en aperçois toujours, coiffées de couronnes et le cou ceint de colliers. Mais, en plein jour, combien elles ont perdu de leur pouvoir effarant! Ce matin elles semblent me dire: «Nous sommes bien mortes, va, et bien inoffensives; ce n'est pas d'ironie que nous sourions ainsi les paupières closes; non, c'est parce que nous avons à présent la paix sans rêves...»

Le temple dont les méconnaissables ruines sont devant moi représente la conception prime-sautière, naïve et farouchement puissante d'un peuple à part, sans analogue au monde et sans voisins: le peuple khmer, rameau détaché de la grande race aryenne, qui vint s'implanter ici par aventure et s'y développa loin de la souche originelle, séparé de tout par d'immenses étendues de forêts et de marécages. Vers le neuvième siècle, environ quatre cents ans plus tôt qu'Angkor-Vat, ce sanctuaire, plus énorme et plus rude, était dans toute sa gloire. Pour essayer de se représenter ce que fut sa magnificence terrible, il faut d'abord, par la pensée, le déblayer de la forêt, supprimer l'inextricable enlacement de ces racines, et de ces branchages verdâtres aux mouchetures blanches qui sont pour ainsi dire les tentacules du figuier des ruines; non plus dans cette éternelle nuit verte, mais à air libre, en plein ciel, il faut redresser les tours à quatre visages--environ cinquante tours!--les replacer d'aplomb sur leur monstrueux piédestal, qui avait trois gradins comme le piédestal d'Angkor-Vat. Imaginer ensuite, aux environs, beaucoup d'espace vide permettant de voir de loin l'écrasante stature d'ensemble; reconstituer les terrasses successives, les marches, les somptueuses avenues qui menaient ici et que bordaient tant de colonnes, de balustres, de divinités, de monstres effondrés aujourd'hui dans l'herbe.

Ces tours, avec leurs formes trapues et leurs rangs superposés de couronnes, on pourrait les comparer en silhouette, à de colossales pommes de pin, mises debout. C'était comme une végétation de pierre qui aurait jailli du sol, trop impétueuse et trop touffue: cinquante tours de taille différente qui s'étageaient, cinquante pommes de pin fantastiques, groupées en faisceau sur un socle grand comme une ville, accolées presque les unes aux autres et faisant cortège à une tour centrale plus géante, de soixante ou soixante-dix mètres, qui les dominait, la tête fleurie d'un lotus d'or. Et, du haut de l'air, ces quatre visages, qu'elles avaient chacune, regardaient aux quatre points cardinaux, regardaient partout, entre les pareilles paupières baissées, avec la même expression d'ironique pitié, le même sourire; ils affirmaient, ils répétaient d'une façon obsédante l'omniprésence du dieu d'Angkor. Des différents points de l'immense ville, on ne cessait de voir ces figures aériennes, les unes de face, les autres de profil ou de trois quarts, tantôt sombres sous les ciels bas chargés de pluie, tantôt ardentes comme du fer rouge quand se couchait le soleil torride, ou bien bleuâtres et spectrales par les nuits de lune, mais toujours là et toujours dominatrices. Aujourd'hui cependant leur règne a passé: dans la verdâtre pénombre où elles se désagrègent, il faut presque les chercher des yeux, et le temps approche où on ne les reconnaîtra même plus.

Pour orner ces murailles du Bayon, des bas-reliefs sans fin, des enroulements de toute sorte ont été conçus avec une exubérante prodigalité. Et ce sont aussi des batailles, des mêlées en fureur, des chars de guerre, des processions interminables d'éléphants, ou des groupes d'Apsâras, de Tévadas aux pompeuses couronnes; sous la mousse, tout cela s'efface et meurt. La facture en est plus enfantine, plus sauvage qu'à Angkor-Vat, mais l'inspiration s'y révèle plus violente, plus tumultueuse. Et une telle profusion déconcerte; à notre époque de mesquinerie versatile, on arrive à peine à comprendre ce que furent la persévérance, la richesse, la foi, l'amour du grandiose et de l'éternel, chez ce peuple disparu.

Sous la tour centrale au lotus d'or, à une vingtaine de mètres au-dessus de la plaine, se cache le Saint des Saints, un réduit obscur, étouffé comme une casemate dans l'épaisseur de la pierre. On y arrivait de plusieurs côtés, par tout un jeu de galeries convergentes, lugubres autant que des chambres sépulcrales. Mais l'accès aujourd'hui en est difficile et dangereux, tant il y a eu d'éboulements aux abords. On sent que l'on est là sous la forêt--puisque la forêt couvre même les tours--sous le réseau multiple et innombrable des racines. Il y fait presque noir; une eau tiède y suinte de toutes les parois, sur quelques dieux fantômes qui n'ont plus de bras ou qui n'ont plus de tête; on y entend glisser des serpents, fuir d'imprécises bêtes rampantes, et les chauves-souris s'éveillent, protestent en vous fouettant de leurs membranes rapides que l'on n'a pas vues venir. Aux temps brahmaniques, ce Saint des Saints a dû être un lieu où les hommes tremblaient, et des siècles de délaissement n'en ont pas chassé l'effroi; c'est bien toujours le refuge des antiques mystères; les bruits que des bêtes furtives y faisaient quand on y est entré cessent dès que l'on ne bouge plus, et tout retombe aussitôt dans on ne sait quelle horreur *d'attente*, à forme par trop silencieuse.

Dans la forêt d'ombre, quantité d'autres ruines s'indiquent, en amas disjoints et bouleversés, sous les belles ramures triomphantes: débris de palais, de temples, de piscines où se baignaient des hommes et des éléphants; ils attestent encore la splendeur de cet empire des Khmers, qui brilla pendant mille cinq cents ans, ignoré de l'Europe, et puis s'éteignit après un brusque déclin, épuisé par tant de batailles contre le Siam, l'Annam, ou même la grande Chine immémoriale et stagnante.

Pour mes yeux d'Occidental, c'est surtout une impression d'incompréhensible et d'inconnu qui se dégage de ces choses mortes. La moindre sculpture, le moindre linteau sur un portique, le moindre de ces couronnements imitant des flammes, sont pour me causer une stupeur, comme la révélation d'un monde lointain et hostile. Des monstres, en pierre verdâtre, assis dans des poses de chien et coiffés à la mode sans doute de quelque planète sans communication avec la nôtre, m'accueillent avec des regards par trop étranges, avec des rictus jamais vus même dans les vieux sanctuaires chinois d'où j'arrive: «Nous ne te connaissons pas, me disent-ils. Nous sommes des conceptions à jamais inassimilables pour toi. Que viens-tu faire chez nous? Va-t'en!» Du reste, à mesure que le soleil monte et flamboie davantage au-dessus de la voûte épaisse des branches, une lourdeur progressive ralentit nos pas; nous marchons comme enveloppés de plus en plus par une sorte d'agressive poussière, dansante et scintillante, qui est un tourbillon de moustiques, et c'est avec une lassitude un peu fiévreuse que nous continuons d'errer dans cette forêt des sombres enchantements. Assez! Il est l'heure de nous replier vers la Porte de la Victoire, pour rentrer avant midi dans l'enclos d'Angkor-Vat.

L'heure brûlante est proche quand nous sommes abrités à nouveau sous ce toit des pèlerins, où s'entend du matin au soir, comme une incantation, la psalmodie des bonzes en robe jaune.

Et, après le repas de midi, l'irrésistible langueur tropicale revient comme chaque jour nous engourdir. Mieux vaut alors quitter notre hangar où l'on étouffe et, malgré la morsure du soleil, franchir les quelque dix mètres qui me séparent des premières galeries du temple: dans l'ombre et l'humidité perpétuelles des plafonds de pierre je trouverai peut-être un semblant de fraîcheur; que l'on étende là pour moi une natte, après avoir balayé une place en un point où la voûte ne sera pas trop tapissée de chauves-souris, et je dormirai sur les dalles relativement froides, en me couvrant la figure d'un éventail pour me garantir de ce qui pourrait tomber d'en haut.

Cependant le sommeil est lent à m'anéantir, parce que je me suis couché au pied même de l'immense bas-relief des batailles et que, malgré moi, mes yeux alourdis s'y intéressent longuement: tourmente silencieuse; fureur des grandes luttes passées et oubliées, tueries que chantèrent les poètes du Ramayana, mais dont personne ne se souvient plus; confusion de bras et de jarrets musculeux, choc de l'armée des Géants contre celle du Roi des Singes, chars de guerre écrasant des blessés par centaines... Dans l'ombre du lieu, tout cela qui est noirâtre et comme verni d'humidité, s'éclaire par endroits de demi-lueurs frisantes, et ainsi les reliefs s'accentuent, un peu de vie revient aux rictus effacés, aux contorsions mortes. J'ai perdu la notion de l'énorme masse architecturale d'alentour, mais je me sens devenu intime avec ceux des guerriers ou des guerrières qui se débattent à toucher ma tête... Tout près, une Apsara me sourit dans la mêlée; c'est elle que je perçois comme dernière image; quelques minutes encore je vois luire sa belle gorge que l'on dirait moite, où semble perler une sueur tiède... et puis c'est fini, je sombre dans l'inconscience...

J'ai dormi une heure peut-être, quand l'un de mes Siamois m'apporte les cartes de trois visiteurs. Des noms français!... Oui, il faut les faire entrer,--et ici même, dans ma salle de réception splendide; mais c'est bien la dernière chose que j'aurais attendue: recevoir des visites à Angkor!

Trois Français en effet. On les a envoyés au Siam pour des études archéologiques et depuis hier ils campent non loin de moi, sous un abri de chaume, dans le saint enclos[3]. Ils sont érudits et aimables. D'ailleurs, après des jours de solitude et de silence, en voyage sans compagnons, c'est une détente d'échanger des pensées avec des hommes de France.

Note 3: (retour) L'un d'eux, fils d'un célèbre sculpteur français, n'a pas tardé à y mourir de la fièvre des bois.

--Je devrais rester, me disent-ils, car la forêt est pleine de ruines inconnues; en plus des grands temples où tout le monde vient, on trouve un peu partout, au bord des rivières ou des marécages, quantité de monuments en terre cuite, d'un art plus singulier, remontant au quatrième siècle ou aux premiers âges du vaste empire khmer.

--Mais non, je persisterai à partir aujourd'hui, au déclin du soleil. D'abord il y a les éléphants du bon roi Norodon avec lesquels j'ai pris rendez-vous pour après-demain à Kampong-Luong. Et puis, surtout, comment oublierais-je que je ne suis en somme qu'un modeste aide de camp dont la permission est limitée et que je dois rentrer, dans les délais voulus, à bord du cuirassé qui m'attend à Saïgon?

J'ai donné l'ordre de préparer le départ pour cinq heures. Et, pendant que l'on attelle mes charrettes à bœufs, pendant que l'on replie mon bagage, une dernière fois je monte au temple.

Aucun déluge n'est tombé depuis cette nuit, pour désaltérer les plantes suspendues, mouiller les monceaux de pierres, et en ce moment c'est une intolérable chaleur de braise qui émane des terrasses, des murailles, des sculptures sur lesquelles le soleil vient de darder tout le jour; mais les divines Apsâras, qui depuis des siècles ont l'habitude d'être ainsi brûlées de rayons, me sourient pour l'adieu, sans se départir de leur aisance ni de leur gracieuse ironie coutumière.--En prenant congé d'elles, je ne m'imaginais pas que bientôt, par le fastueux caprice du roi de Pnom-Penh, j'allais les revoir, une nuit, au son évocateur des vieilles musiques de leur temps; les revoir non plus mortes, avec ces sourires pétrifiés, mais en pleine vie et jeunesse; non plus avec ces gorges de grès rigide, mais avec de palpitantes gorges de chair, et coiffées de véritables tiares d'or, et constellées de véritables pierreries...

Le soleil est déjà bas et commence d'éclairer rouge quand mon petit cortège de charrettes se met en marche, s'éloignant pour toujours d'Angkor, par l'avenue dallée, entre les broussailles aux fleurs blanches qui embaument le jasmin. Après les larges fossés pleins de roseaux et de lotus, après le pont, les derniers portiques et les grands serpents à sept têtes gardiens du seuil, voici le sentier du départ qui se présente à nous: il plonge sous des arbres, prêts à nous cacher aussitôt le mystérieux temple. Je me retourne alors pour jeter derrière moi un regard d'adieu. Ce pèlerinage, que depuis mon enfance j'avais souhaité faire, est donc maintenant une chose accomplie, tombée dans le passé comme y tombera demain ma brève existence humaine, et jamais plus je ne reverrai se dresser dans le ciel les grandes tours étranges. Je ne puis même pas, cette dernière fois, les suivre longtemps des yeux, car la forêt tout de suite se referme sur nous, amenant soudain le crépuscule.

Vers sept ou huit heures, nous sommes rentrés au village siamois de Siem-Reap, au bord de la rivière, dans la région des grandes palmes. Il fait nuit noire, et les gens, qui circulent demi-nus sous les voûtes d'arbres, s'éclairent en agitant des brandons enflammés, comme il est aussi d'usage aux Indes, à la côte du Malabar. Ils s'empressent à nous accueillir, et nous installent au bord de l'eau dans la maisonnette des voyageurs pèlerins, qui a l'air d'avoir des échasses tant elle est haut perchée sur pilotis.

X

Dimanche, 1er décembre 1901.

Une heure encore en charrettes à bœufs, le long de la petite rivière, à la fraîcheur de l'extrême matin, traversant des villages édéniques, parmi des palmes et des guirlandes de lianes fleuries.

En un point de la berge, nous attendait le sampan qui nous avait amenés, le grand sampan dont la toiture est en forme de couvercle de cercueil. Alors, quittant nos attelages, nous commençons de redescendre au fil de l'eau, frôlés par les joncs, les graminées gigantesques. D'abord des marais, de plus en plus inondés. Et puis, la forêt noyée, qui nous enlève le peu d'air respirable, en nous enveloppant de son ombre empoisonnée; une heure et demie à l'aviron, pour traverser le presque sombre dédale, naviguant à mi-hauteur des arbres énormes, parmi les branches emmêlées de lianes. C'est vers midi seulement que nous échappons à l'oppression de cette forêt, et que le grand lac, s'ouvrant enfin devant nous, déroule à nos yeux, tout à coup éblouis, l'étendue d'une mer d'étain luisant.

La mouche à vapeur qui doit me ramener au Cambodge est là, seule, amarrée aux branches de ce semblant de rivage, comme perdue au milieu de ce désert de verdure et d'eau chaude. Qu'on allume les feux et partons dès qu'il sera possible.

Tout l'après-midi, tout le soir se passent à glisser, d'un mouvement rapide et monotone, sur ce lac qui aujourd'hui n'a pas de limites visibles, tant il dégage de brume, pour estomper l'horizon; le soleil semble le vaporiser, le boire,--un soleil tout embué d'humidité lui aussi presque trouble, mais sournois et terrible. Pas un souffle nulle part, et une tension électrique à en mourir. Notre course dessine sur l'eau morne des rides toujours pareilles qui se font et se défont en silence; nous naviguons sur je ne sais quel métal fondu, sans doute trop nonchalant ou trop lourd pour bruire comme de l'eau ordinaire; et ainsi nous berçons au passage des compagnies de pélicans, posés en longues bandes d'un blanc rose, qui dorment et qui se dérangent à peine à notre approche. Partout, somnolence et torpeur, sous une lumière à la fois excessive et diffuse. De temps à autre il se joue devant nous des fantasmagories pour nous effrayer; c'est vers l'Ouest toujours; nous voyons des choses sombres qui surgissent dans le lointain presque aussi vite que monteraient les fumées d'un volcan; elles enténèbrent tout un côté du ciel, elles prennent des nuances de cuivre, elles affectent des airs de rochers qui croulent, de montagnes qui vont s'ébouler en chaos: ébauches d'orages qui n'éclatent pas, mais qui tout aussitôt se transforment, s'atténuent et disparaissent comme les visions des rêves.

Pas une barque en vue, pas une jonque, nous sommes seuls sur ce lac sans bords. A travers toutes ces inconsistances du ciel et de l'eau, où ne s'indique jamais un point de repère, notre pilote--un Siamois--se dirige d'instinct sans doute, comme font les oiseaux voyageurs. Au crépuscule cependant, quand il s'agit de trouver l'entrée du grand fleuve dans lequel nous devons nous engager, il est perplexe, il hésite et change de route. Aucun danger d'ailleurs, mais seulement le risque d'être retenus là jusqu'au lever du jour.

Voici la nuit qui tombe, moite et languide, et nous ne savons plus guère où nous sommes. L'eau n'a toujours pas de contours précis. Des masses noires, qui sont des nuées d'orages traînant sur le lac, simulent çà et là des rives proches; nous voyons surgir des fantômes de montagnes, des fantômes de forêts.

De vagues étoiles, embuées aussi comme était le soleil, se dégagent enfin des brumes pour nous conduire; le pilote croit s'y reconnaître et nous continuons notre marche à toute vitesse... Une secousse violente! Le bateau se cabre et s'arrête, en même temps qu'éclate un fracas de branches brisées. Une masse d'ombre, qu'il avait prise pour un de ces nuages trompeurs, était réellement la berge; nous nous y sommes jetés, l'avant en plein dans les arbres, et, de la secousse, mille bestioles qui dormaient dans la verdure tombent comme une pluie sur nous, sauterelles, scarabées, lézards ou mauvais petits serpents... Machine en arrière, et nous nous dégageons, sans avoir de mal; c'était de la vase molle et de frêles palétuviers. Le Siamois d'ailleurs n'avait manqué l'entrée du fleuve que de quelques mètres, et maintenant nous y voici, sûrs de notre marche, qui s'accélère, aidée par le courant. C'est bien le Mékong, et tout est pour le mieux. Allons dormir.

XI

Lundi, 2 décembre 1901.

Vers trois heures cette nuit, sous un déluge où se déversaient toutes les nuées d'hier, nous sommes venus nous amarrer parmi les roseaux du grand fleuve, près de ce village de Kampong-Luong, le lieu de la rive me rapprochant le plus de certain temple, dédié aux mânes de la reine mère du Cambodge, qui est là-bas dans la grande brousse et où je veux faire en passant un pèlerinage.

A présent, à la pointe de l'aube, des pas formidables me réveillent... Ils font trembler la berge voisine et s'accompagnent d'une musique de branches qui s'écrasent. Par le sabord, ouvert près de ma tête, je regarde quels pesants visiteurs m'arrivent. Le jour à peine naissant m'indique un fouillis de roseaux et d'arbustes mouillés, qui semblent d'un vert déjà trop intense pour si peu de lumière, de même que le sol paraît déjà trop rouge. Et voici, dans ce décor de l'extrême matin, des bêtes colossales qui surgissent, s'ébattent avec des gaietés lourdes, ébranlant la terre... On croirait quelque scène des premiers âges du monde... Des éléphants! Sans nul doute les quatre éléphants promis; ils arrivent, ponctuels au rendez-vous; quatre hommes vêtus de blanc les suivent, leur parlent avec douceur, et, d'un ordre donné presque à voix basse, les immobilisent là juste en face de moi.

Quand les bons éléphants sont sellés, ayant chacun sur la nuque un conducteur accroupi et sur le dos un palanquin semblable à une cabane cambodgienne, on m'invite à prendre place, avec mon interprète et mes deux serviteurs. Nous partons à la file, chacun de nous dans sa maisonnette oscillante. D'abord le village à traverser. Ensuite le marché où s'agite un petit monde jaune, arrivé de la brousse voisine à pied ou en charrette; on vend des fruits, des graines, des poulets et de bizarres poissons du Mékong; nos éléphants, avertis de l'effroi qu'ils vont causer, ne marchent plus ici qu'à petits pas discrets; mais, comme toujours, tous les bœufs, tous les buffles s'enfuient devant la bête souveraine, et il y a des mannequins chavirés, des jattes de lait renversées, du tumulte, des cris.

Après ce groupement isolé de vie humaine, nous plongeons pour deux ou trois heures dans la grande brousse où, sur notre chemin, nous ne rencontrerons plus personne. Ce n'est pas la forêt d'ombre comme au Siam; non, la brousse, cette brousse indo-chinoise, inextricable, toujours pareille, inutile et infinie. Nous suivons d'étroits sentiers, sur une terre d'un rouge de sanguine, entre deux rideaux d'arbustes d'un vert trop éclatant. Des feuillages qui nous sont étrangers nous emprisonnent de plus en plus dans leur multitude compacte: toute une végétation éternellement arrosée, éternellement surchauffée, qui cependant n'arrive pas à jaillir en futaie puissante, mais demeure plutôt chétive, molle, d'une exubérance malsaine. Du haut de nos palanquins, nous voyons parfois des déploiements illimités de cette triste verdure-là, qui dit l'exil et qui sent la fièvre.

Au premier plan, devant soi, toujours la nuque de bronze du cornac, et par instants deux énormes oreilles grises qui se soulèvent pour battre l'air comme des éventails. On est royalement bien dans la maisonnette balancée, à l'abri du soleil de feu, cheminant d'une façon si solide et sûre, d'un pas qui ne bronchera jamais, avec une tranquillité qu'aucun obstacle n'aura la force de troubler. Et cependant, à la longue, on a le cœur serré par la monotonie de cette brousse, qui se referme derrière vous en silence, sans cesse, sans merci, à mesure que l'heure passe...

Nous faisons la halte méridienne dans une vieille bonzerie, au pied de la petite montagne qui sert de piédestal au mausolée des rois cambodgiens. Ici, il y a de l'eau courante, de vrais grands arbres et c'est un coin paradisiaque au milieu du désert de mauvaise verdure. Une vaste salle en bois rougeâtre, au toit contourné, n'ayant guère pour murailles que des stores de roseau, et décorée d'immenses images bouddhiques, sur papier de riz, qui sont pendues aux piliers. Nous nous y installons sur des nattes, très dignement accueillis par deux ou trois vieillards bonzes, et par une grand'mère bonzesse aux cheveux blancs tondus ras, dont la figure parcheminée porte cent ans. Nos éléphants ont été lâchés dans la brousse, où ils vont manger pour leur dîner quelques jeunes arbres. En marchant sur la pointe du pied, la vénérable vieille dame au religieux costume jaune nous apporte des oreillers, de forme carrée, pour appuyer notre tête, ou pour nous accouder; elle ne dit rien, et rien ne bouge dans ses traits que figèrent tant d'années d'un mysticisme inintelligible à nos âmes... Après le repas de midi nous nous endormons étendus sur des nattes, dans une sorte de paix monacale très particulière, entendant le bruit du ruisseau voisin qui donne une illusion de fraîcheur.

Vers trois heures et demie, le réveil, pour nos gens comme pour nous-mêmes, et je commande de rappeler nos éléphants, car il est l'heure de se remettre en route.

Cette montagne qui surplombe la bonzerie est l'une de ces fantaisies géologiques jetées çà et là au milieu des régions basses du Cambodge; un de ces petits cônes abrupts, isolés, inattendus, que l'on appelle ici des *pnôm*: presque tous sont sacrés et servent de base à un lieu de prière. Celui-ci, déjà très pointu par lui-même, est exagéré encore par le mausolée qui le couronne, et qui est plus pointu, plus effilé, qu'aucune de nos flèches de cathédrale;--c'est donc là-haut que dorment, au milieu de cette jungle à tigres et à singes, le plus près possible du ciel plein d'orages, les vieux rois cambodgiens. Les cendres de la reine mère viennent d'y être montées récemment, après une crémation accomplie suivant des rites immémoriaux, avec un cérémonial de danses et de musiques remontant sans nul doute à l'époque d'Angkor.

Il faut une heure environ pour arriver de la bonzerie à la pagode consacrée aux mânes de cette vieille princesse, et but de mon pèlerinage. C'est au baisser du soleil que nous l'apercevons, dans une sorte de clairière au milieu de la brousse. Parmi des palmiers hauts et frêles, dont les plumets verts dominent la jungle d'alentour, elle nous apparaît tout illuminée des feux de Bengale du couchant, doucement éclatante de dorures ternies comme une vieille orfèvrerie précieuse; elle se mire dans un étang solitaire parsemé d'îlots de lotus roses; elle a naturellement de longues cornes d'or, qui partent en tous sens des angles de la toiture; elle est posée sur un piédestal à trois gradins, au bord duquel des monstres aux attitudes moqueuses éclatent de rire, d'un effrayant rire de tête de mort. Et, entendant venir nos éléphants, des bonzes, vêtus de jaune-citron et drapés de jaune-orange, ouvrent les portes, puis s'arrêtent en groupes étages sur les marches du seuil. C'est une vision intacte des vieux âges de l'Asie, qui nous attendait dans le silence de ce lieu perdu et dans le rayonnement rouge du soir

Au dire de mon interprète, il serait plus discret de ma part et plus *élégant* de ne pas demander aux bonzes, qui n'oseraient me le refuser, la permission de visiter l'intérieur de la pagode. Sans descendre de mon palanquin, je me bornerai donc à en faire lentement le tour.

C'est l'art d'Angkor que l'on retrouve ici, déchu évidemment de ses proportions colossales, trop cherché peut-être, trop maniéré, mais d'une étrangeté tellement exquise! Là-bas, les énormes murailles étaient couvertes de broderies de pierre. Ici, sous cette toiture fantasque à grandes cornes d'or, on dirait la pagode toute tendue d'un vieux brocart somptueux, qui scintille sous les rayons mourants du soleil--et c'est un réseau de minutieuses ciselures en stuc doré, où se mêlent des parcelles de cristal imitant des rubis et des émeraudes. Quant aux portes, qui brillent d'un éclat différent et plus bleuâtre, elles sont en mosaïque de nacre.

Nos éléphants, comme s'ils avaient compris que nous voulions regarder sans hâte, font le tour des terrasses avec une majesté somnolente. L'une après l'autre, chacune des statues postées sur les rebords nous adresse au passage sa grimace d'ironie; elles ont des corps d'homme, mais des figures d'épouvantail; elles représentent les Esprits gardiens des seuils éternels; leur présence suffit à indiquer un lieu mortuaire et à commander le recueillement; toutes se tiennent les jambes écartées, les mains posées sur les genoux pliés, ayant l'air de se baisser ainsi pour mieux rire--rire des fragilités humaines sans doute, rire de la naissance et rire de la mort... Ainsi que les parois de la pagode, tous les monstres en sentinelle sont couverts de ciselures dorées et de facettes de cristal, qui leur font des costumes de grand apparat, un peu défraîchis, il est vrai, par les ans, et tachetés de moisissure grise; quant à leurs visages, ils nous sont déjà connus; ils ont été copiés sur les bas-reliefs millénaires d'Angkor-Vat. Mais pourquoi ces attitudes convulsées par le rire macabre, dans ce lieu de l'apaisement suprême? Pour nous, quel abîme de mystère, qu'une telle conception des tombeaux!...

Quand nous avons fini de contourner la pagode, quand nous revenons devant les portes de nacre, il n'y a plus que les ors de la toiture, ses courbes un peu chinoises et ses longues cornes qui brillent d'un éclat ardent; le soleil achève de se noyer dans les verdures sans fin de la plaine; il n'illumine plus les murailles, et nous voyons ces vieux brocarts, déjà fanés par les pluies de beaucoup de saisons, s'éteindre en des nuances rares, où miroitent, par places seulement, des espèces de broderies de cristal. Les bonzes, pour nous faire honneur, sont restés sur les marches. Et tout cela--pagode, personnages en robe jaune qui ne bougent pas, esprits funéraires qui rient au bord des terrasses en s'appuyant des mains sur leurs genoux écartés--se reflète dans les eaux mortes de l'étang, où les lotus, fleurs du plein jour, commencent de rapprocher et de fermer leurs larges pétales roses parce que l'ombre du soir approche. Sur ces magnificences surannées, on sent de plus en plus descendre, avec le crépuscule, la paix des isolements profonds.

Il est l'heure de nous en aller, et le pas de nos éléphants redevient rapide pour le départ. Nous nous replongeons dans ces étroits sentiers, où tout le temps la verdure nous enserre et nous frôle. Une fois de plus la brousse se referme sur nous, l'éternelle brousse, se hâtant de nous cacher la clairière magique où, peut-être, rôde encore un peu l'âme incompréhensible d'une vieille reine d'Extrême-Asie.

Nuit noire, quand les bonnes bêtes géantes s'agenouillent pour nous déposer au village de ce matin, près de la berge. Le bateau nous attendait là sous pression, et je fais appareiller pour continuer de redescendre le Mékong. C'est l'époque de l'année où les eaux des lacs du Siam se déversent dans le grand fleuve, et nous partons de toute la vitesse de la machine, aidée de la vitesse du courant. Un peu après minuit, nous sommes de retour à Pnom-Penh, la ville presque coloniale française, et amarrés devant les jardins du gouverneur.

XII

Mardi, 3 décembre 1901.

A Pnom-Penh jusqu'au minuit suivant, après quoi il faudra se replier sur Saïgon, pour être rentré à bord dans les délais militaires. Pluie chaude et torrentielle tout le jour.

C'est ce soir, à neuf heures, que le vieux roi Norodon doit me recevoir. Le gouverneur ayant eu l'extrême bonté de lui dire que je n'étais pas un simple aide de camp, mais un «lettré de France», il paraît que ce sera une grande réception, où figurera le corps de ballet de la cour.

La pluie tombe encore en déluge quand la voiture du gouverneur vient me chercher pour me conduire au palais. Nuit étouffante, malgré l'arrosage à grande eau qui nous vient du ciel noir, et trajet sous des arbres confus, par des avenues obscures où rien ne semble vivre. Mais éblouissement de lumière à l'arrivée, quand des serviteurs se précipitent avec de larges parapluies asiatiques pour nous faire descendre, et nous protéger jusqu'à la salle de réception.

Elle est immense, cette salle, mais elle n'a pas de murailles, rien qu'un toit soutenu en l'air par de très hautes colonnes bleues. Dans des girandoles et sur des torchères cambodgiennes en argent--où naguère encore ne brûlaient que des mèches imbibées d'huile--la lumière électrique vient d'être récemment installée; un peu déconcertante ici, elle éclabousse avec brutalité la foule des princesses, des suivantes, des serviteurs, des musiciens, les cinq ou six cents personnes accroupies à terre sur des nattes: rien que des costumes blancs, des draperies blanches, et beaucoup de bras nus, de seins nus d'une couleur de bronze clair. L'orchestre, dès que nous paraissons, commence une musique d'Asie qui tout de suite nous emporte dans les lointains de l'espace et du temps. Elle est douce et puissante, donnée par une trentaine d'instruments en métal ou en bois sonore que l'on frappe avec des bâtons veloutés. Il y a des tympanons, des claquebois au clavier très étendu, et des carillons de petits gongs qui vibrent à la façon des pianos joués avec la pédale forte. La mélodie est triste infiniment, mais le rythme s'accélère en fièvre comme celui des tarentelles.

Sur une estrade, on nous fait asseoir près du lit de repos aux matelas dorés où le vieux roi infirme et presque moribond va venir s'étendre. Près de nous, sur une table également dorée, on a posé des coupes à champagne, et des boîtes en or rouge du Cambodge remplies de cigarettes. Nous dominons la salle, dont le milieu, tapissé de nattes blanches et assez vaste pour y faire manœuvrer un bataillon, reste vide: c'est là que le spectacle du ballet nous sera offert. Des potiches trop grandes, où trempent des feuillages nuancés comme des fleurs, sont posées au pied de chacune de ces colonnes bleues, qui laissent paraître dans leurs intervalles, au-dessus de la foule en vêtements clairs, le noir de la nuit pluvieuse, l'obscurité profonde du ciel; en ce moment elles laissent surtout paraître la pluie, qui s'abat en déluge plus furieux et dont les moindres gouttelettes, en passant dans cette vive lumière électrique, jettent tous les feux du prisme, brillent tellement qu'on croirait voir tomber des pierreries par milliers, des diamants en cascade. Deux portes là-bas donnent sur l'intérieur du palais, et c'est par là que vont arriver les ballerines. La chaleur reste accablante, malgré les larges éventails que des serviteurs ne cessent d'agiter au-dessus de nos têtes. Et partout des vols d'insectes, affolés par l'éclat des girandoles, tourbillonnent innombrables, moustiques, éphémères, scarabées bruissants ou grandes phalènes.

Il tardait à paraître, le roi, et maintenant des serviteurs apportent et déposent sur un coussin près de nous sa couronne et son sceptre d'or, garnis de gros rubis et de grosses émeraudes. Il est décidément trop malade[4], il nous prie de l'excuser et nous envoie les attributs souverains, pour bien nous marquer que la réception quand même est royale.

Note 4: (retour) Il est mort peu de temps après. Et c'est son successeur, le roi Sisovath, qui est venu en France, où il a commis l'aimable faute de montrer aux Parisiens quelques-unes des ballerines de la cour; on ne devrait pas profaner et diminuer de tels spectacles en les produisant ainsi en dehors de leur cadre.

Le spectacle va donc commencer sans lui. La musique, tout à coup, se fait plus sourde et plus mystérieuse, comme pour annoncer quelque chose de surnaturel. L'une des portes du fond s'ouvre; une petite créature adorable et quasi chimérique se précipite au milieu de la salle: une Apsara du temple d'Angkor! Impossible d'en donner l'illusion plus parfaite; elle a les mêmes traits parce qu'elle est de la même race pure, elle a le même sourire d'énigme, les paupières baissées et presque closes, la même gorge de toute jeune vierge, à peine voilée sous un mince réseau de soie. Et son costume est scrupuleusement copié sur les vieux bas-reliefs, mais copié en joyaux vrais, en étoffes magnifiques; des espèces de gaines en drap d'or emprisonnent ses jambes et ses reins. Le visage tout blanc de fard et les yeux allongés artificiellement, elle porte une très haute tiare d'or, mouchetée de rubis, dont la pointe s'effile comme celle d'un toit de pagode, et, aux épaules, des espèces d'ailerons, de nageoires de dauphin, en or et pierreries. En or également et en pierreries, sa large ceinture, les anneaux qui ornent ses chevilles et ses bras nus couleur d'ambre un peu rose. Seule d'abord en scène, la petite Apsara des vieux âges, échappée du bas-relief sacré, fait des signes d'appel vers cette porte du fond--qui devient pour nous la porte des apparitions féeriques--et deux de ses sœurs accourent la rejoindre, deux nouvelles Apsâras, aussi étincelantes, les hanches moulées dans les mêmes gaines rigides, portant les mêmes tiares d'or et les mêmes ailerons d'or. Elles se prennent par la main toutes trois. Ce sont des reines d'Apsâras sans doute, car un trône a été préparé pour les faire asseoir. Mais elles échangent une mimique d'inquiétude, et recommencent des signes d'appel, toujours vers cette même porte... On était déjà émerveillé d'en voir trois. Est-ce que par hasard il en viendrait d'autres?... Et c'est par groupes qu'elles arrivent, dix, vingt, trente, parées en déesses comme les premières, tout le trésor du Cambodge est sur leurs têtes et sur leurs épaules charmantes.

Devant les trois reines assises, elles vont exécuter des danses rituelles, qui sont des danses presque sur place et plutôt des frémissements rythmés de tout leur être. Elles ondulent comme des reptiles, ces petites créatures sveltes, adorablement musclées et qui semblent n'avoir pas d'os. Parfois elles étendent les bras en croix, et alors l'ondulation serpentine commence dans les doigts de la main droite, remonte en suivant le poignet, l'avant-bras, le coude, l'épaule, traverse la gorge, se continue du côté opposé, suit l'autre bras et vient mourir aux extrêmes phalanges de la main gauche, surchargée de bagues.

Dans la vie réelle, ces petites ballerines exquises sont des enfants très gardées, souvent même des princesses de sang royal, que l'on n'a le droit ni d'approcher ni de voir. On les assouplit dès le début de la vie à ces mouvements qui ne paraissent pas possibles pour des membres humains; à ces poses si peu naturelles, qui cependant sont de tradition immémoriale dans ce pays, ainsi que l'attestent les personnages de pierre habitants des ruines.

Elles vont mimer à présent des scènes du Ramayana, telles que jadis elles furent inscrites dans le grès dur, aux bas-reliefs du temple ancestral. Et voici leurs beaux chars de guerre qui font leur entrée, copiés en petit sur ceux d'Angkor-Vat. Mais, par une convention naïve, les éléphants qui devraient les traîner ont été remplacés par des hommes, marchant à quatre pattes, tout nus et tout jaunes, coiffés de grosses têtes en carton avec trompes et oreilles articulées. Alors nous assistons à des épisodes gracieux ou tragiques, à des combats contre des monstres, surtout à des défilés de cortèges pour célébrer des victoires. On voit une petite reine de quatorze à quinze ans, très constellée, très fardée, idéale sur son char de guerre, poursuivie par les déclarations d'amour d'un jeune guerrier et les repoussant avec une grâce infiniment chaste; on voit mille choses délicates et charmantes, qui témoignent de l'art le plus affiné. Chaque fois qu'une théorie d'Apsâras se retire par l'une des portes du fond, une autre théorie apparaît à l'autre porte et vient lentement occuper la salle. Il en est quelques-unes, de ces petites fées tout en or, qui peuvent bien avoir sept ou huit ans, et qui défilent, peintes comme des idoles, casquées de trop hautes tiares, avec des ailerons de pierreries aux épaules, dignes et graves en des attitudes hiératiques.

Une chaleur de plus en plus lourde s'exhale de cette foule, qui se parfume au musc et aux fleurs; la pluie torrentielle continue d'emplir le fond du tableau avec son ruissellement de gemmes brillantes; de toute la brousse alentour, des myriades de bestioles ailées ne cessent de se précipiter vers les lustres et les torchères; il vient aussi de grandes chauves-souris et des oiseaux nocturnes; l'exubérante vie animale, dont l'air est rempli à l'excès, nous enveloppe et nous pénètre.

Maintenant voici le «Roi des Singes» qui arrive avec son masque d'or, grimaçant,--tel, il va sans dire, que je l'ai vu là-bas sculpté sur les murs des vieux temples. Lui aussi prend des poses qui ne sont pas naturelles, pas possibles (les poses des bas-reliefs, toujours); ses membres jeunes ont été de très bonne heure accommodés à ces exigences de la tradition. A sa suite, toute l'armée des Singes envahit la scène: petites filles encore, petites princesses masquées en épouvantail, mais dont les gorges naissantes se dessinent sous les précieuses soies légères. Et il s'agit, pour cette étonnante mais peu redoutable cohorte, d'aller délivrer la belle Sita, que des démons tiennent captive, très loin, dans une île... Nous sommes en plein Ramayana, et les mêmes spectacles évidemment devaient se donner à Angkor-Thôm, on devait y porter les mêmes costumes; cette soirée achève de nous faire concevoir ce que furent les splendeurs de la ville légendaire. Des temps que nous croyions à jamais révolus ressuscitent pour nos yeux; mais ce n'est pas une reconstitution étudiée qui les fait revivre; non, tout simplement rien n'a changé ici, au fond des âmes ni au fond des palais, depuis les âges héroïques. Malgré ses dehors si amoindris, ce peuple cambodgien déchu est resté le peuple khmer, celui qui étonna l'Asie d'autrefois par son mysticisme et son faste; on sait d'ailleurs qu'il n'a jamais perdu l'espoir de reconquérir sa grande capitale, ensevelie depuis des siècles sous les forêts du Siam,--et c'est toujours le Ramayana, l'épopée si ancienne et si nébuleuse, qui continue de planer sur son imagination et de guider son rêve.

Puisse la France, protectrice(?) de ce pays, comprendre que le ballet des rois de Pnom-Penh est un legs sacré, une merveille archaïque à ne pas détruire!...

Vers une heure du matin, dans la nuit noire et sous la pluie chaude, nous quittons le palais de Norodon, et je vais faire appareiller la mouche à vapeur qui m'attend. Je recommence à descendre le cours du Mékong, dans d'épaisses et pesantes ténèbres où s'évanouit pour moi la vision des petites fées du Ramayana.

Et après-demain il faudra être de retour à Saïgon, la ville au mauvais charme d'alanguissement et de mort, reprendre mon poste près de l'amiral, parmi mes compagnons d'exil; me recloîtrer entre les étouffantes murailles en fer de ce cuirassé, qui, depuis bientôt vingt-deux mois, vient de nous promener au milieu de toutes les houles des mers de Chine, mais qui sommeille, à présent, le long d'un quai morbide où la verdure des arbres est trop verte et le sol tristement rouge.

XIII

Octobre 1910.

Près de dix années encore ont passé sur ce pèlerinage. Et maintenant l'heure est venue très vite, à pas de loup, l'heure qui me semblait ne devoir jamais venir, l'heure crépusculaire de la vie où toutes les choses terrestres s'éloignent, diminuent, s'estompent en grisailles.

Après un peut-être dernier été lumineux passé en Orient, je suis rentré depuis ce matin dans ma maison familiale. Il fait beau aujourd'hui, dans ce coin de France où mes yeux s'ouvrirent, il fait calme sous un ciel bleu; mais le soleil, resté clair et chaud, a cependant un commencement de pâleur qui sonne le déclin de la saison, qui ajoute à la mélancolie de mon retour.

Et voici que le hasard me ramène dans ce réduit qui fut mon «musée» d'enfant,--une chambrette dont je ne songe pour ainsi dire jamais plus à ouvrir la porte, mais que je laisse subsister comme lieu de souvenir; les pauvres choses, qui me firent jadis tant songer à des pays lointains, s'y dessèchent et s'y émiettent dans leurs petites vitrines, comme des momies à l'abandon dans leur hypogée.

On y sent une odeur vieillotte de camphre, d'oiseaux empaillés, de je ne sais quoi de mort, et il y fait triste, ce soir, indiciblement... J'ouvre la fenêtre... Mais je crois que tout y est plus lugubre, au contraire, quand j'y ai fait pénétrer les rayons d'un soleil de soir d'octobre... Ah! une guêpe y est entrée en même temps... Oui, je me rappelle qu'autrefois il y venait aussi beaucoup de guêpes, car ce cabinet donne sur des jardins, de vieux jardins de province un peu trop enclos, mais dont les murs sont tapissés de vignes et de rosiers...

J'y pense tout à coup; ce numéro suranné d'une revue coloniale contenant les images qui furent les premières à me révéler les ruines d'Angkor, il doit être toujours là, derrière un rideau. Comment donc n'ai-je pas eu l'idée de le chercher à mon retour d'Extrême-Asie? Je vais tenter de le trouver, dans ce recoin, sous la poussière déposée comme une impalpable cendre.

Elle fut certainement décisive, l'influence qu'exerça ce musée sur l'orientation de ma vie. Il en va de même pour la plupart des hommes, simples jouets de leurs impressions initiales; des riens, longuement regardés au premier âge, suffisent pour infléchir, dans un sens ou dans un autre, toute la suite de leur destinée. Et ce soir--est-ce parce que je ne l'ai pas revu depuis de longs mois, ce minuscule musée--pour un peu ses sortilèges agiraient encore; les pauvres choses de ses étagères me donneraient presque l'inquiétude et le frisson de pays inconnus, vers lesquels m'évader et courir... Quel mouvement puéril! Mais c'est fini, tout cela; de l'inconnu, il n'en existe plus, et j'ai vidé la coupe des aventures!... Derrière cette vitre, tel oiseau éclatant qui me faisait rêver des «*colonies*», mais j'ai erré au plus impénétrable des forêts qu'il habita. Telle humble calebasse aux dessins barbares, que je considérais comme une précieuse curiosité; mais j'ai vécu parmi les noirs Yoloffs qui excellent à les graver ainsi, à l'ombre de leurs toits de roseaux, devant leurs horizons de sables. Telle pagaie accrochée contre le mur et qui évoquait pour moi les «sauvages des îles», mais les Polynésiens m'ont appris à manœuvrer les pareilles, en camaraderie avec eux, dans leurs pirogues balancées sur les houles du Grand Océan... Alors, vraiment, ce n'était que ça, le monde? Ce n'était que ça, la vie?...

Ah! j'ai retrouvé le numéro de la revue coloniale, révélateur d'Angkor. Sur le papier jauni, les images, combien elles sont imparfaites et maladroites, auprès des belles illustrations que l'on fait de nos jours; c'est qu'elles datent déjà d'un demi-siècle, hélas! Elles sont très fidèles cependant et voici bien les hauts donjons à silhouette de tiare, que maintenant j'ai contemplés en réalité, au soleil tropical ou sous les nuées des orages de là-bas. Dès que j'ai revu les si modestes gravures, tout de suite, bien entendu, les impressions de la première fois se représentent en foule à ma mémoire; même ces phrases emphatiques d'*Ecclésiaste* qui avaient chanté alors dans ma tête d'enfant, je les retrouve comme si elles étaient d'hier: «J'ai tout essayé, tout éprouvé... Au fond des forêts du Siam, j'ai vu l'étoile du soir se lever sur les ruines de la mystérieuse Angkor...»

Eh! Mais c'est aujourd'hui ce morne retour au foyer dont j'avais eu le pressentiment si net, le retour suprême, avec une âme très lasse et des cheveux blanchissants! Il n'y a pas d'illusion à se faire, c'est aujourd'hui, et le cycle de ma vie est clos...

Des guêpes encore viennent d'entrer, et des mouches bourdonnantes; devant les petites vitrines scellées et les petites choses mortes, elles décrivent leurs courbes folles; l'époque est proche cependant où elles vont s'endormir ou mourir; mais c'est par esprit de tradition elles aussi, sans doute, qu'elles ont tenu à reparaître gaiement dans ce lieu si longtemps fermé où elles avaient l'habitude, autrefois, de danser leurs rondes en ma compagnie. Les moindres bestioles, on le sait, refont éternellement les mêmes choses aux mêmes places, ainsi que les moindres mousses ou fleurettes sauvages revivent pendant des siècles dans le même coin des bois.

Pour feuilleter la vénérable revue démodée, je me suis assis près de la fenêtre ouverte. Le soleil de fin octobre s'abaisse sur cette plaine de l'Aunis que j'aperçois par-dessus les toitures proches et les remparts. A l'horizon extrême, il y a encore ces mêmes bois qui voisinent avec ceux de la Limoise et dont la ligne de contours n'a pas été changée. Dans le lointain des prairies, la Charente dessine sa mince traînée qui brille,--et jadis elle représentait pour moi la porte de l'inconnu, cette rivière par où les navires s'en allaient aux pays exotiques, aux «colonies»; mais où donc me mènerait-elle à présent, vers quels Océans que je n'aie pas explorés?... Dans la revue posée sur mes genoux, je découvre des images qui ne m'avaient pas frappé ou dont j'avais perdu le souvenir: voici bien le grand masque de Brahma, avec son expression moqueuse, tel qu'il m'apparut un soir dans la forêt d'ombre, multiplié d'une façon effarante et me regardant du haut des *Tours à quatre visages*; je ne me doutais pas qu'il fût resté tant d'années à me guetter ici, sur une étagère poudreuse, parmi les bibelots intimes de mon enfance. Sur la page que je tourne ensuite, voici trois Apsâras des bas-reliefs, avec leurs gorges rondes copiées sur des modèles qui palpitaient il y a mille ans; elles me ramènent à l'esprit le ballet des rois de Pnom-Penh qui fut comme l'apothéose terminant mon pèlerinage: tout un scintillement d'or, de couleur et de lumière à peine possible à concevoir ici, au milieu de ce cadre apaisé d'une arrière-saison en ma province natale, pendant que volent autour de moi les dernières guêpes d'un été. Mes yeux distraits vont des feuillets que je parcours à l'horizon, doré en tristesse par ce soleil couchant. Si rien n'a changé dans mon musée d'autrefois, tout également est resté pareil dans ces quartiers de ma ville de plus en plus désuète, d'où la vie maritime peu à peu se retire: les mêmes pans de murs, garnis des mêmes jasmins et des mêmes lierres, les mêmes toits en tuiles romaines jaunis par la rouille du temps, les mêmes cheminées dont je reconnais si bien tous les profils sur le ciel de cette fin d'une journée d'automne. Les arbres des jardins, qui étaient déjà vieux quand je commençais la vie, n'ont pas sensiblement vieilli depuis. Les grands ormeaux des remparts, qui étaient déjà séculaires, sont là toujours, formant une aussi magnifique ceinture avec leurs mêmes cimes vertes.[5] Et quand tout s'est conservé immuable dans les entours, comment imaginer, admettre que l'on est soi-même non loin de finir, tout simplement parce que l'on atteindra bientôt le nombre d'années compté sans merci à la moyenne des existences! Mon Dieu, finir, quand on ne sent rien en soi qui ait changé, et que le même élan vous emporterait vers l'aventure, vers l'inconnu s'il en restait quelque part! Est-ce possible, hélas! devant cet humble mais immuable décor qui devrait pourtant, à ce qu'il semble, vous envelopper d'une protection, vous imprégner un peu de sa faculté de durer, devant tout cela qui si aisément s'éternise, avoir été un enfant pour qui le monde va s'ouvrir, avoir été celui *qui vivra*, et ne plus être que celui *qui a vécu*!...

Note 5: (retour) Bien entendu, un conseil de pauvres petits édiles, pour se conformer au mot d'ordre des nouvelles couches, vient de voter stupidement leur destruction.

Et cependant, de cette vie si brève, éparpillée par toute la terre, j'aurai retiré quelque chose, une sorte d'enseignement qui ne suffit pas encore, mais qui est déjà pour apporter une ébauche de sérénité. Tant de lieux d'adoration éperdue que j'ai rencontrés sur ma route et qui répondent chacun à une forme particulière de l'angoisse humaine, tant de pagodes, de mosquées, de cathédrales, où la même prière s'élève du fond des âmes les plus diverses! Tout cela ne m'a pas fait entrevoir seulement cette demi-preuve si froide de l'existence d'un Dieu que l'on indiquait dans les cours de philosophie de ma jeunesse, et qui est du rabâchage aujourd'hui: «*la preuve par le consentement unanime des peuples*». Non, mais ce qui importe infiniment plus, c'est qu'un tel ensemble de supplications, de larmes brûlantes, implique la confiance presque universelle que ce Dieu ne saurait être qu'un Dieu de pitié. Oh! certes, je ne prétends nullement dire là une chose un peu neuve; je ne veux que joindre, à tant de milliers d'autres témoignages, le mien, parce qu'il est attendu peut-être par quelques-uns de mes frères. A mesure que les siècles s'accumulaient sur l'humanité, les dieux si farouches qu'elle avait d'abord imaginés au sortir de sa nuit originelle ont graduellement fait place à des conceptions plus douces, moins grossières et, sans doute, moins inexactes. A mesure que la pitié des uns pour les autres, la fraternelle pitié prêchée par Bouddha et par Jésus, faisait son chemin dans nos âmes aux tendances plutôt féroces, la notion se fortifiait en nous qu'il devait y avoir quelque part une Pitié suprême pour entendre nos cris,--et alors les sanctuaires devenaient de plus en plus des lieux de supplications et de pleurs. Dans les mosquées de l'Islam, depuis le Moghreb jusqu'à la Mecque, tous les jours des hommes innombrables, le front battant la terre, font appel à la Miséricorde d'Allah! Le jaloux et sombre Jéhovah des Hébreux s'est effacé devant le Christ,--et j'ai vu le Saint-Sépulcre qui est bien le lieu du monde où s'entendent le plus de confiants sanglots. Même à Angkor, des statues bouddhiques, au sourire de pardon, se sont assises devant les quatre portes de la cella murée où des hommes d'il y a déjà plus de mille ans avaient senti qu'il fallait cacher le Dieu trop terrible de leurs premières théogonies. La souveraine Pitié, j'incline de plus en plus à y croire et à lui tendre les bras, parce que j'ai trop souffert, sous tous les ciels, au milieu des enchantements ou de l'horreur, et trop vu souffrir, trop vu pleurer et trop vu prier. Malgré les fluctuations, les vicissitudes, malgré les révoltes causées par des dogmes étroits et des formules exclusives, l'existence de cette Pitié suprême, on la sent plus que jamais s'affirmer universellement dans les âmes hautes qui s'éclairent à toutes les grandes lueurs nouvelles[6]. De nos jours, il y a bien, c'est vrai, cette lie des demi-intelligences, des quarts d'instruction, que l'actuel régime social fait remonter à la surface et qui, au nom de la science, se rue sans comprendre vers le matérialisme le plus imbécile; mais, dans l'évolution continue, le règne de si pauvres êtres ne marquera qu'un négligeable épisode de marche en arrière. La Pitié suprême vers laquelle se tendent nos mains de désespérés, il faut qu'elle existe, quelque nom qu'on lui donne; il faut qu'elle soit là, capable d'entendre, au moment des séparations de la mort, notre clameur d'infinie détresse, sans quoi la Création, à laquelle on ne peut raisonnablement plus accorder l'inconscience comme excuse, deviendrait une cruauté par trop inadmissible à force d'être odieuse et à force d'être lâche.

Note 6: (retour) En France, notre admirable Bergson qui vient de culbuter le déterminisme; en Amérique, William James et les disciples qui le continuent; aux Indes, quelques sages de Bénarès et d'Hadyar. Les uns par l'irréfutable raisonnement, les autres par l'observation merveilleuse, tous aujourd'hui en viennent peu à peu à consolider ces espoirs que nos ancêtres, sans autant chercher, savaient trouver si bien et si naturellement derrière les symboles des religions intuitives.

Et, de mes pèlerinages sans nombre, les futiles ou les graves, ce faible argument si peu nouveau est encore tout ce que j'ai rapporté qui vaille.

FIN

Milton Keynes UK
Ingram Content Group UK Ltd.
UKHW020826200524
442968UK00005B/463